COLLECTION FOLIO

Mehdi Charef

Le harki de Meriem

Mercure de France

Mehdi Charef est né dans la petite ville de Maghniyya en Algérie en 1952. Au début des années cinquante, son père part pour travailler en France comme terrassier et y fait venir sa famille. Mehdi Charef grandit dans les cités de transit et les bidonvilles. Dès sa jeunesse il travaille en usine. Son premier roman, *Le thé au harem d'Archi Ahmed* (1983), a été porté à l'écran.

A Amaria, ma sœur, qui repose près de la rivière, et m'attend à Beni-Ouassine.

Et à Larbi.

Il était fier de lui, Sélim, il était heureux.

Il en jubilait d'avoir osé, d'en avoir fini avec ce désir enfin assouvi et qui, avant, le testait sur son courage. Les lèvres tirées satisfaites derrière la cigarette, il allait détendu, tranquille, par cette douce nuit d'automne dans Reims centre-ville, comme un qui venait de se libérer d'un lourd fardeau. Il a osé, et il faut oser, aborder une prostituée. Surtout dans une petite ville où l'on risque à chaque coin de rue de tomber nez à nez avec sa concierge ou son beauf.

Il quitta l'hôtel de passe ni vu ni connu. Sur le pavé indiscret, il releva le col de son trench-coat et alluma une Camel filtre, se hâtant de disparaître de la rue sombre. C'est Marc qui ne va pas en revenir se dit Sélim, enfin libéré. Jaloux, son meilleur ami le sera certainement, du même âge, vingt-deux ans, il n'avait plus qu'à aller se déshabiller à son tour s'il voulait relever le défi.

Tel était leur challenge : quand l'un a fait, l'autre se doit d'imiter.

Au sujet de la passe, Sélim avait caché son heure et ses intentions à l'ami Marc. Les putes revenaient souvent dans leurs discussions et chacun gardait secrètement en lui l'envie de retrousser le jupon de ces dames. Sélim avait attendu le jour de son anniversaire pour s'offrir, en guise de cadeau, une montée avec la plus belle des filles de rues repérée dans la cité champenoise. Il voulait depuis longtemps vivre cette expérience que tous les hommes selon lui se devaient de connaître. Une femme à la silhouette copieuse qui se donne sans avoir à se justifier ; l'hôtel de passe qui rime avec culpabilité et morale ; la chambre nue avec juste un lit, jamais défait.

La petite toilette à l'eau froide du robinet qui grince. Le gant rêche et glacé fait frémir le sexe qui déjà ôte son casque, gonfle le torse et joue au costaud. Le préservatif qui sans manière prend sa place, guidé par les doigts experts de la dame. Ressortir de la chambre un peu honteux, sans oser se retourner pour remercier et saluer la dame qui soulage. Etre le plus discret possible dans l'escalier et prier le bon Dieu de ne pas croiser son père à la sortie ; puis sur la pointe des pieds, quitter prestement l'hôtel, vite, comme si on venait d'y mettre le feu.

Les rues à putes sont toujours longues. Trop longues et il y a toujours trop de monde. Même seul, le coup tiré, l'envie de s'éclipser est vitale. Enfin la cigarette qui libère !

L'idée de traverser l'univers de ces dames excitait plus Sélim que leur corps et l'acte lui-même. Quoique... A son âge il avait, comme son ami Marc, soif d'expérience et de savoir. Ils avaient testé aussi bien la cocaïne, l'héroïne que la parachutisme, enfin tout ce qui leur donnait le frisson ou un sentiment de crainte. Mais ils s'en détachaient après un seul essai pour ne plus y retoucher.

Sélim laissa derrière lui le centre-ville.

Il fendit l'obscurité du marché couvert avec un seul regret : la prostituée lui avait refusé sa position favorite.

On ne tourne pas le dos à un client de passage, et basané de surcroît. Instinct de conservation chez ces dames, même si le filou, le tif fraîchement aligné et tout de Kenzo vêtu, planté sur des pompes Sherwood luisantes, montre un genre plutôt bon chic, bon gars.

Enfin, c'est Marc qui allait bien rire et c'est Sélim qui, pour lui en mettre plein la vue, se remémorerait le moindre détail de son escapade.

L'entrée de l'hôtel de passe fleurant la peinture fraîche, le portier qui ressemblait à Averell Dalton chez Morris et qui avait plus l'air d'un type qui fait la manche que d'un videur. Dans l'escalier, la prostituée éclairait le passage, sa jupette violette coupée au ras des fesses et, dessous, le string presque invisible partageant deux belles parts. Ça excite le client que de passer devant lui ; c'est un gain de temps et d'exercice pour la dame qui pense à tout. Le client croisé dans l'escalier qui baisse la tête comme un coupable, Pierre !... Comme Pierre quand sa femme le virait... A ce moment-là Sélim pensa à Pierre, son voisin de palier. Il eut le frisson désagréable qui vous secoue les nerfs quand la mémoire revient sur un mauvais souvenir. Ce fut comme s'il avait mal agi envers Pierre et le visage de celui-ci ne put s'effacer de son esprit.

Le client ressemblait à Pierre. Le même âge, la quarantaine, et long, très long et maigre sous une coupe en brosse grasse et cendrée sur les bords. Le pif considérable, presque aussi large que le visage étroit. Et les yeux de Pierre, dégoulinants en coin, tout enfoncés sous le front, et bien planqués à l'arrière pour regarder, sans courage, le monde en douce. L'image de Pierre était surtout, pour Sélim, synonyme de première fois ; mais, parce qu'il aimait son voisin et le respectait, cette première fois fut douleur au lieu d'être une fête.

C'était dans le bistrot d'Huguette. Sélim avait quinze ans et, chaque soir après ses devoirs, Azzedine son père l'autorisait à aller jouer quelques parties de flipper chez Huguette et en même temps, et toujours avec la complaisance d'Azzedine, il attendait Pierre, saoul, pour le ramener chez lui. Ils étaient voisins.

Ayant connu Sélim au berceau, Huguette le protégeait et lui branchait l'appareil en encaissant les derniers clients, car c'est tôt qu'elle fermait son bar.

Fidèle à son habitude, Pierre était là à la même place, au pastis. Lui aussi avait vu pousser Sélim, il l'appelait « le p'tit ». A cette heure il ne restait plus qu'eux deux au bistrot et Huguette montait les chaises sur les tables avant le coup de balai. Dehors on entendait rire les derniers clients, qui urinaient sur le trottoir. Pierre était attablé près du comptoir, ses béquilles entre ses jambes molles.

Plus de la moitié de son esprit était déjà trempée dans le pastis et, pointu sur son siège, Pierre fulminait contre Sélim qui préférait le football de Saint-Etienne à celui de l'équipe rémoise. Il brandissait une béquille contre tous les jeunes cons de footeux de maintenant qui ne jouent que pour le pognon alors que de son temps... Il y a vingt ans. Il avait vingt ans. Sélim n'écoutait pas. A peine.

Pierre engloutit un autre verre. Sa petite tête de fouine fatiguée penchait sur son long cou comme une fleur qui se fane sur sa tige. La sueur naissait sur son front et filait d'un trait sous l'oreille, avant de mourir sur le col de la chemise.

— Remets-nous ça, Huguette ! La dernière !

Avec Pierre c'était toujours la dernière, se souvenait Sélim et c'est toutes ces dernières qui... Il fixait péniblement Sélim qui, entre deux boules, sirotait son lait grenadine.

— Elle sera pour Joseph, hein ! dit Pierre d'un geste sûr.

Sélim approuva, tout en refusant à Huguette un autre verre. Il faisait mine de trinquer pour ne pas froisser son voisin, mais n'avait d'yeux que pour le flipper.

Huguette servit Pierre en le prévenant que c'était bien la dernière.

— A Joseph ! dit Pierre levant son verre, il sera ému autant que nous, c'est un hommage sincère qu'on lui rend, hein !

Sélim acquiesça de nouveau. Joseph un compagnon de beuverie ; le bricoleur du quartier. Un petit plein aux joues rondes et sanguines, qui pouvait aussi bien remplacer une vitre que réparer une chaudière. Une aubaine pour les gens de la rue, qui le payaient à coups de litrons. La larmichette vint à l'œil de Pierre pour l'ami Jo, enterré le jour même. Son foie l'avait lâché au milieu d'un chantier après la troisième bouteille de vin du matin. Quand ils l'ont ramassé, il avait encore son pinceau à la main. C'est tout ce à quoi il s'était retenu.

A l'enterrement, Pierre ne put se joindre au cortège because alcool et béquilles. Et puis il valait mieux pas qu'il y aille : comme il dit, il les aurait tous insultés ces cons de suivants. Alors il invoqua l'amitié : ne point enfoncer un ami.

— Moi à l'enterrement de Jojo ! criait-il en

palpant son verre, pourquoi veux-tu que je l'ensevelisse, ce pauvre type ? Il ne m'a jamais rien fait de mal, et les autres, ceux qui disent comme ça que c'était leur pote, ils sont les premiers à le pousser dans le trou !

Tout lui était prétexte à alléger sa conscience tremblante dans le pastis. Il demanda un glaçon à Huguette et reprit :

— Il y en a même qui pour les enterrements se fringuent comme un dimanche tant ils sont heureux de se débarrasser du mort pour y piquer sa place, ou baiser sa femme.

« Et vlan ! appuya-t-il après en écrasant le cul du verre sur la table.

— Doucement ! prévint simplement Huguette.

— Au frère Joseph ! dit Pierre, le 51 au ciel.

— T'as raison ! soutint Sélim sans conviction.

Le p'tit se souvenait de Joseph comme d'un bougre qui croyait que tout son malheur lui venait de l'étranger. Il disait « la France aux Français ». Pierre but une gorgée et s'affaissa lourd sur la chaise. Entre deux tilts Sélim le regardait tristement. Pierre joignit ses mains sur ses genoux et eut une suffocation qui lui retourna les entrailles. Il voulut dire autre chose, mais il peina. Il ne put aligner les mots éparpillés dans le trouble de sa tête. Il prit celle-ci à deux mains et se gratta la tignasse.

— Ce qui m'aura moi, c'est la trouille, avoua-t-il au zinc désert. La frousse, je ne sais pas comment ils appellent ça, les toubibs, mais quand elle me prend, l'enfoirée de sa mère, elle me bouffe l'intérieur, me râpe les tripes et remonte, remonte...

Il souffla.

Il regarda son verre avec dégoût, comme si d'une claquette il voulait l'envoyer s'éclater contre le mur.

Il se retint. Il n'avait que ce verre qui pouvait encore l'élever au-dessus de sa trouille. Il dodelina de la tête d'avant en arrière, avec de courts moments de repos, puis se redressa pour s'empêcher de dormir. Sélim avait peur que cette tête ne se décolle quand brusquement elle partait en avant.

— Heureusement qu'ils ont inventé le pinard ! Sinon comment que je te la noierai, cette putain de peur ? Hein !

Personne ne lui répondait.

— Encore un, Huguette !

— Non !

— Le dernier, jura Pierre, sur la tête de ma femme !

— Le dernier ! prévint Huguette en bagarre avec sa serpillière.

Et elle resservit, pressée de fermer sa taule.

— ... le dernier ! fit Pierre, que je te l'étouffe une bonne fois pour toutes cette trouille de mes vieilles roubignoles.

Il massa son visage, couleur béton. Sélim, bras croisés sur le ventre du flipper, attendait, comme chaque soir, qu'Huguette les pousse vers la porte et les insulte une dernière fois avant qu'ils ne déguerpissent.

— T'as pas ça, toi ?

— Heu ! si ! quoi ? demanda Sélim, dépassé par la question de Pierre.

— C'te trouille dont j'te cause depuis une plombe, p'tit con !

— Heu, si si parfois ! répondit Sélim pour le rassurer.

Le jeune homme n'en dit pas plus laissant Pierre dans le doute.

Le handicapé partit seul sur son nuage. Il parlait, gesticulait, riait même, mimant parfois des gestes obscènes qui faisaient rougir Huguette. Encore une fois il en vint à raconter sa carrière de footballeur brisée au niveau des genoux par un accident de voiture. Et comme il avait tout dans les crampons et pas grand-chose dans le porte-pipe, il n'avait pu se recycler. Agacée, Huguette ordonna à Sélim de raccompagner Pierre jusqu'à chez lui. Le môme ne put refuser. Dans la rue et l'obscurité, Sélim fut bien embarrassé avec un cadavre vacillant dans les bras. Il lui fallait empoigner son compagnon, passer sa tête sous son bras et enfin avancer. Mais Pierre n'aimait pas.

— Est-ce que tu me prends pour une loque ? hurlait-il.

Il s'écrasait sur le pavé. Il grimaçait de douleur et bavait sur le temps perdu.

— La vie c'est un tas de merde et tous les jours t'en bouffes un peu !

Puis de ses petits poings mous il cognait sur l'épaule de Sélim qui le relevait. Pierre pensait que ses coups portaient, mais le môme n'avait pas mal. Mal seulement du désespoir de son voisin de palier. L'ivrogne traduisait l'aide de Sélim comme une insulte. Il repoussait l'adolescent à coups de béquilles avec du venin dans ses paroles. Alors le môme, qui ne voulait pas larguer son ami, s'adossait au mur pour reprendre souffle. A force de hurler, de se débattre, Pierre subissait toujours un instant de lassitude et Sélim en profitait. On repartait. Quelques pas plus loin, le handicapé semait une béquille. Le jeune homme l'asseyait délicatement sur le trottoir et récupérait l'outil. Nouvelles empoignades, nouvelles insultes et ils repartaient oscillants vers l'immeuble. Leurs pas inégaux étaient ponctués d'autant de grognements déchirés de Pierre. D'abord pour son éclaireur, qu'il traitait de jeune trouduc jusqu'à fils de bique, puis il s'en prenait à la terre entière. Sa peine achevée il concluait que tous étaient des enculés, sauf sa mère.

Et c'était à sa femme que Sélim le rendait. Les quarante berges de Pierre fondaient en sueur et en larmes sur les épaules du petit gars. La porte cochère de l'immeuble était toujours l'obstacle le plus pénible pour les deux ombres. Il restait toujours une béquille. Sélim posait Pierre sur les premières marches de l'escalier et retournait la chercher. En même temps il donnait la lumière.

De sa loge, Olive, la concierge, c'est ainsi que la surnommait Pierre parce qu'elle ressemblait à la fiancée de Popeye « sauf qu'il lui manque un balai sous le con pour qu'elle s'envole », montrait sa tête, derrière le carreau, en recouvrant son torse. Elle ne sortait pas, même si Pierre vomissait son pastis sur les marches ce qui arrivait souvent. Elle s'abstenait de venir sur le pas de sa loge depuis que, dans les mêmes circonstances, Pierre lui avait montré son cul, en la traitant de pie et de mal baisée. Coincé entre une envie de pouffer et une suffocation polie de honte, Sélim avait vu les yeux horrifiés d'Olive s'écarquiller à s'en décoller la rétine. Puis elle était rentrée prier saint Antoine de Padoue pour qu'il leur pardonne. Sélim avait empaqueté vite fait son voisin, de peur qu'Olive ne revienne avec Popeye.

— Si t'as un pépin ils te laissent tous tomber. Plus personne autour de toi !... Pierre ruminait encore.

Il balançait toujours un coup de béquille sur la porte droite du second étage parce que le locataire « n'est qu'un con de sanglier venu de sa brousse des Ardennes et qui vote au centre parce qu'il n'a pas de couilles pour se démarquer, je le sais ! ». Il ne l'aimait pas. « D'ailleurs Reims a toujours battu Sedan, alors ! »

Après maints et pénibles efforts le duo arrivait enfin au troisième. Pierre tenait toujours à ouvrir sa porte lui-même. Sélim n'insistait pas. L'ivrogne voulait prouver qu'il n'était pas si saoul que cela et qu'il savait se conduire. Pendant que Pierre tournait la clé, le jeune homme l'agrippait par la taille de peur qu'il ne s'affale de nouveau sur le paillasson. A l'intérieur, Pierre lâchait ses béquilles et plaquait ses mains sur le mur du couloir. Ensuite il glissait lentement vers le sol, jusqu'à s'agenouiller. Enfin Sélim le lâchait. Dans le minuscule salon au papier épais à grosses fleurs jaune et marron, tout piégé de meubles aux angles aigus sur une moquette drue, la femme de Pierre ne bronchait pas. Des rouleaux plein les cheveux, en robe de chambre, elle croquait des biscuits face au poste de télévision. Ainsi était-elle chaque fois que Sélim lui ramenait son mari. Elle se fichait bien de ce qui se passait dans son dos. Quand les deux acolytes faisaient trop de bruit, elle montait le son du poste. C'est seulement quand Sélim poussait les béquilles contre le mur pour dégager le passage et permettre à Pierre de ramper jusqu'à sa chambre qu'elle se retournait. Et toujours elle fixait le jeune homme avec ce même regard malade qui brusquement s'allumait, comme une torche dans l'ombre.

Elle se levait. Mâchonnant avec nonchalance ses gâteaux secs, elle reluquait le gamin.

Pareillement à chaque fois. Depuis le premier soir qu'il lui avait ramené son Jules. Ce soir-là, Pierre avait vomi dans le couloir et le jeune homme n'avait pu le relever. Il attendait l'aide de l'épouse. Comme à l'accoutumée elle était devant le poste. Elle s'était retournée, toute surprise de voir Sélim, pensant que son mari était seul.

Elle dévisagea longuement l'adolescent et ses torches scintillèrent comme du cristal. Sans se préoccuper de son mari, elle avait avancé vers Sélim. Alors celui-ci murmura :

— ... M'dame..., avec un hochement de tête.

— Bonsoir ! répondit-elle, pommettes soulevées. Inquiétante.

Elle resta à deux pas de Sélim, qui ne savait que dire. Elle le dévisagea encore avant que sa bouche ne s'étire en un sourire accueillant. Elle avança d'un pas et ses mains caressèrent les joues du môme. Celui-ci recula jusqu'à la porte. Elle dénoua sa robe de chambre qui glissa sur la moquette et se mit à caresser ses seins pour exciter l'adolescent. Elle lui tendit une main sûre. Gêné, Sélim se retourna sur Pierre. Courbé et le front à terre, l'ivrogne toussa péniblement à l'orée de sa chambre.

Tiraillé entre le respect pour Pierre et le cul poignant qui s'offrait à lui, Sélim hésita encore.

La Ginette ôta un rouleau de ses cheveux, puis

un autre, et prit la main du jeune homme. Il suivit. Elle était plus jeune que son mari et bien fournie, la môme : les biscuits peut-être. Une blonde rondelette et forte aux joues roses. Ses seins s'affichaient comme un welcome. Elle allait d'un pas hésitant. Elle rassura Sélim d'un nouveau sourire, puis s'agenouilla devant lui et lui déboutonna la braguette.

Elle prit délicatement le sexe et les couilles dans le creux de ses mains comme on sort un nouveau-né du ventre de sa mère et regarda Sélim comme pour lui dire : ne t'inquiète pas petit tout va très bien se passer.

Mais il y avait Pierre. Le jeune homme tenta un recul mais la Ginette le tenait. Au bout du couloir, le mari éructa une dernière fois avant de s'évanouir dans la chambre. Sa Ginette se leva et alla claquer la porte.

Sélim referma sa braguette et s'apprêtait à partir quand elle revint prestement sur lui, le prit par la taille et le serra rageusement contre le mur.

Emue, tremblante, elle lui embrassa les cheveux et le cou. Ses yeux mouillants d'envie clouèrent le petit. Un instant il crut que la Ginette allait fondre en pleurs tant l'excitation la faisait frémir. Haletante, sa gorge devint sèche. Elle reprit sa salive et entraîna Sélim jusqu'au fauteuil sur lequel elle s'allongea sur le dos, les mains tendues vers le môme. Il hésita, se retourna vers le couloir.

Alors Ginette écarta ses fortes cuisses comme doivent s'ouvrir les portes du paradis et Sélim ôta son blouson.

C'était sa première fois et avec la femme de Pierre, son pote, d'où le rejet du souvenir qui lui vint dans l'escalier de l'hôtel de passe. C'est ensuite que Sélim apprit que, si Pierre exhibait son cul et non ses couilles à Olive la concierge, c'est « parce qu'il bande plus », comme dit sa femme.

Combien de fois le jeune homme accompagna Pierre, lourd comme un cheval mort et chaque fois la Ginette se plantait devant lui comme une mendiante. Plus tard Sélim la soupçonna de l'attendre et même plus de donner le sou à son mari pour qu'il s'enivre, espérant que l'adolescent le traînerait jusqu'au troisième étage.

De penser que cette première fois il l'avait volée et non choisie troublait Sélim. Il prit la rencontre dans l'escalier avec le sosie de Pierre comme un signe.

Un bruit de moteur à cette heure dans le désert de Reims surprenait. Sélim leva le pied en traversant la large avenue à deux sens. Le véhicule, une 403 marine qui, maintenant, apparaissait sur sa droite, accéléra dans sa direction. Alors qu'il y avait place pour éviter le piéton, le moteur rugit de plus belle et fonça droit sur lui. Le jeune homme sortit de ses pensées et se jeta hors de la chaussée. Les trois occupants de la voiture hurlèrent leur colère. Ils étaient passés si près de leur but. Sélim a vu leurs yeux. Surtout ceux d'un fin à moustache cachant des joues creuses, assis sur la banquette arrière. L'autre, un châtain clair qui avait visé Sélim avec son mégot en hurlant de toutes ses tripes « sale crouille », était à côté du chauffeur.

Au feu du coin de l'avenue, la voiture folle souffla le rouge. Immobile sur le trottoir, Sélim rageur pointa son majeur vers le ciel. Le fin du siège arrière lui répondit d'un geste nerveux et arrogant, invitant Sélim à les suivre s'il était un homme. Dans l'élan, la 403 disparut dans le silence de la nuit. Après la colère et l'impuissance à répondre à la provocation, Sélim, mortifié, reprit son souffle. Malgré lui sa différence lui revint. Il laissa Ginette et Pierre. Il savait qu'avec un visage plus clair il rentrerait tranquillement chez lui. Il n'était pas d'ailleurs et ne se sentait pas d'ailleurs. Sélim n'imaginait pas d'issue de secours, ville ou pays de retour. Il était de Reims, de France, depuis la clinique Saint-Charles où il était né. Il avait même de la peine à l'idée qu'il pourrait un jour quitter cette ville qu'il aimait tant, à laquelle il avait donné une première place de français au concours général et un podium au championnat de France cadets de fleuret à Coubertin.

Il oublia la pute et Marc son ami chez qui il était censé être ce soir-là. C'est ce qu'il avait dit à ses parents pour quitter rapidement la table d'anniversaire et les cadeaux.

— Ne rentre pas trop tard ! s'était inquiétée Meriem, sa mère.

Il avait rangé ses cadeaux. Que des vêtements, un nœud papillon Zegna de sa sœur Saliha, un manteau d'Azzedine son père et de sa mère des chemises Arrow, délicates à repasser mais si belles. Meriem, sa mère, lui avait même fait une empreinte au henné sur sa main droite. Le henné apporte le bonheur.

Désabusé, Sélim reprit son chemin vers le quartier piétonnier.

« J'ai promis à Marc de passer chez lui », dernière phrase qu'il avait dite à ses parents avant d'aller goûter aux putes. Il avait bisé sa sœur, sa mère et fait l'accolade à son père. Un père qui quelques heures plus tôt s'enthousiasmait :

— Avocat ! Mon fils sera avocat !

Un projet qui revenait souvent dans le F4 depuis que le fiston étudiait le droit.

— Juge, c'est mieux ! avait rétorqué Saliha.

— Moins brillant, avait repris le père, plus attiré par la tchatche et les projecteurs.

Il rêvait tout haut l'avenir de son fils. Meriem

écoutait ; Saliha, la tête dans les mains et les coudes sur la table, se moquait. Sélim souriait.

On comptait sur la réussite du fils pour effacer tout regret d'exil. Son adolescente de sœur bûchait, quant à elle, pour un diplôme d'infirmière.

— Ça me suffit, disait-elle.

Dans la rue piétonne, vide, Sélim stoppa à la hauteur du 47. Il leva la tête sur un immeuble moderne aux portes vitrées. La lumière du quatrième étage le soulagea et le fit sourire. Son ami Marc était là, dans un studio loué à deux rues de chez ses parents. Seul défi que ne put relever Sélim : habiter seul une chambre d'étudiant. Dès qu'il en parlait à Meriem, elle jouait des larmes.

Il épia la fenêtre de Marc. Au lieu d'aller vers son ami, il choisit le téléphone. Non loin, une cabine l'attendait ; sa mère aussi qui ne s'endormait pas tant qu'elle n'avait pas entendu tourner les clés dans la serrure.

— Je sors d'une pute ! il le dit comme ça.

— Qu'est-ce que tu racontes ? fit Marc ébranlé.

— Je me suis payé une passe !

— C'est le cadeau que tu cachais pour tes vingt-deux ?

Marc rit.

— Hum...

Sélim rit aussi.

— Mon salaud ! C'est laquelle que tu as tirée ?

— Je te raconterai demain, je suis dans une cabine et censé être chez toi !

— Combien tu as payé ?

— Demain, je te dirai tout demain.

— Passe ce soir.

— Non ! Salute...

Ils éclatèrent de rire. Sélim étouffa le combiné.

Dans le froid du soir il boutonna son manteau. Dans ses poches ses clés qu'il tripotait, pressé de rentrer.

Les Boucs de Chraïbi qui l'attendait sur sa table de chevet. Une phrase du livre lui revint :

« Ils ont laissé leur âme de l'autre côté de la Méditerranée. »

— Hop !

Une poigne ferme tira violemment Sélim contre le creux d'une entrée de garage. Surpris, il fut plaqué contre la porte.

— Hop ! dit, moqueur, le petit fin aux joues creuses en secouant Sélim par le col. Celui-ci tenta de se libérer de la prise, mais l'autre, le châtain clair lui fit signe d'un hochement de tête suivi d'un « t.t.t.t. » de se calmer et qu'il ne servirait à rien de se tortiller comme ça. Nous sommes trois, avait-il l'air de dire. Sélim les reconnut, mais il n'aperçut pas la 403.

Le troisième, le chauffeur, était sur la gauche de Sélim. Il avait une cinquantaine d'années, rond et chauve et il riait nerveusement tout en s'inquiétant du silence alentour. Il passa ses mains suantes sur son pull gris et gifla Sélim. Il pouffa comme s'il jouissait enfin de balancer une baffe à un crouille.

— Bouge plus !

Le petit fin maigrelet n'en finissait pas de pousser des hop ! en tenant fièrement à bout de bras un Sélim plus grand que lui. A chaque hop ! suivi d'un geste brusque vers le bas, c'est le regard de son prisonnier qu'il réclamait le petit. Il voulait montrer son œil aiguisé, sa bouche tremblante de revanche à ce putain de fils d'Arabe qui n'avait pas l'air d'avoir peur, même après avoir encaissé des coups.

« Ça va pas n... » Sélim ne finit pas son cri, de sa main gauche le petit le bâillonnait.

— Si, si, ça va ! répond le châtain clair, qui la jouait sereine.

A son tour il appuya sèchement son poing sur la bouche de Sélim et dit en grimaçant :

— Tes papiers, on veut voir tes papiers c'est tout, bon ! C'est sûr que tu vas te prendre une branlée et une branlée de première, même que tu ne pourras pas te regarder dans une glace pendant longtemps. Seulement — il leva le doigt —, seulement si tu as eu la modestie de rester crouille et fils de crouille. Parce que tu n'es que ça et les crouilles, on n'en veut pas, même avec une tronche bariolée de bleu blanc rouge... T'entends !

Il mit le doigt sur son oreille et pencha ses yeux rouges. En guise de réponse il tira les cheveux du frisé.

— Pauvre con ! lui jeta Sélim.

Le châtain s'essuya les lèvres et reprit :

— Si par malheur tu as une carte d'identité française on te fait la peau, on ne veut pas de basanés dans les mêmes registres que nous, Bicot tu es, Bicot tu resteras. Tes papiers ?

Sélim ne broncha pas. Le chauve aux cinquante berges gifla de nouveau Sélim et rit dans son blouson comme s'il touchait le tiercé dans l'ordre.

— Be !... Beu !... Beeuur !... Beeeuuurk ! dit le petit fin qui, solidement accroché sur ses petites pattes, s'excitait de plus en plus.

— Beurk !... Beeuurk !... Beeeuuurk !...

« Pour se protéger chez soi et sortir sans peur, il faut s'armer... »

Ces mots de Pierre vinrent à l'esprit de Sélim. Pierre qui, gagné par la psychose de l'insécurité, s'était aussi payé un fusil au cas où on l'attaquerait chez lui. Mais pour Pierre aussi c'était la crainte de l'étranger, de l'adolescent basané, même si dans son quartier, à part Sélim, il n'y avait guère de cette racaille, comme il disait.

Son fusil il se l'était payé pour se faire peur. Il fallait bien vivre de quelque chose, compenser le vide que créait l'ennui. Comme tout le monde.

Pierre étrenna sa première cartouche sur des piafs qui chantaient sur une antenne de télé voisine. Pris de panique, l'immeuble entier, Azzedine en tête, accourut, pointant un doigt menaçant sur Pierre qui, d'un volte-face baïonnette au canon les repoussa sur le palier. L'ivrogne guettait. Il se prenait pour le défenseur de l'immeuble et du parking et gare aux faux bruits dans la cage d'escalier. Maintenant qu'il était armé, sa Ginette avait peur aussi, face au mari qui, sans cesse, astiquait son fusil en la regardant de biais. Elle demanda assistance aux voisins. Ils revinrent, Azzedine toujours devant, prévenir l'ami Pierre.

— On ne joue pas avec ça, Monsieur Pierre, dit Azzedine sur la défensive, et je sais de quoi je parle !

— Il me prend pour un cave ! rétorqua Pierre, allumé.

Pierre interpellait tout étranger à la troisième personne. Il se refusait l'intimité du tutoiement et se sentait trop supérieur pour user du vous.

— Un accident est si vite arrivé ! reprit Azzedine.

— Il ne se casse pas la tête pour moi ! fit Pierre, le menton dédaigneux.

Les voisins avaient peur. Surtout que le matin, tant qu'il n'avait pas sa dose de muscadet, il avait la tremblote, Pierrot. Il fallait éviter de pétarader en mobylette sous sa fenêtre.

— Faut s'armer ! qu'il hurlait, chez Huguette.

Sélim aurait bien voulu être armé. Ses trois agresseurs se montraient déterminés. Il se défendit à coups de pied et tenta de repousser la fouille. Il ne criait pas. Pour éviter de faire plaisir au petit fin qui n'attendait que ça : que le petit crouille le suppliât. Et Sélim ne se plaignait pas non plus. Le quinquagénaire au rire muet le bloqua d'une clé au bras et serra fort. Le petit fin qui, d'une main, bâillonnait la bouche du jeune homme et de l'autre le coinçait contre le mur, vit les prunelles de Sélim se dilater de douleur.

Le châtain fouilla les poches. Il tira sur le manteau ; les boutons sautèrent.

— Beu !... Beur !... Beurk !... Et hop, hop ! bégaya le petit en assenant des coups de genou dans le bas-ventre de Sélim.

Le chauve rit encore tirant par secousses sur la tignasse crépue. Le châtain trouva le portefeuille. Il tira la carte d'identité de Sélim et l'exhiba crânement à ses amis. Les pommettes tiquèrent gravement et les yeux s'emplirent de haine. Le châtain cracha sur Sélim et lut :

— NA . TIO . NA . LI . TE. FRAN . ÇAI . SE.

Il appuyait sur chaque syllabe.

Se doutant de la suite et du plaisir qu'il allait prendre, le chauve se serait frotté les mains s'il n'avait tenu sa prise.

Rongé de mépris, le petit sautillait sur la pointe des pieds, tentant un coup de tête sur le nez de Sélim. En vain. Il avança le front de l'Arabe vers le bas et lui mordit l'oreille. Sélim poussa un cri que la main nerveuse réussit à étouffer. Lui plaquant sa photo sur les yeux, le châtain dit à Sélim :

— T'as vu la tête que t'as ? Réfléchis bien ! Il

prononçait « reufleuchis ». Tu ne peux pas être français avec la gueule que t'as !

Il la jouait toujours faussement sereine, le châtain. Il sortit son couteau à cran d'arrêt et avec un rictus libéra la lame comme on baisse la culotte légère d'une femme : avec délectation.

Ils eurent beau s'ouvrir les yeux on ne peut plus, à s'en péter la cornée, Sélim n'y croyait pas.

Il s'empêchait d'y croire, il n'avait rien fait de mal.

Pris dans l'étau du fin et du chauve qui regardaient avec une haine joyeuse la lame du couteau, il ne put que se tortiller avec une mince chance de fuite. Le châtain, froidement, dit :

— Tu serais resté crouille, une branlée et le SAMU te ramenait chez toi, mais là, le SAMU va se déranger pour rien.

La pointe de la lame chatouilla le nombril de Sélim qui se débattait comme une anguille dans une nasse. Il sentit une pointe de métal froid lui traverser le ventre, le glaçant. Il n'eut pas mal, Sélim. Il fixa le châtain clair sans aucune expression sur le visage. Vide, comme renonçant à comprendre quoi que ce soit. Il ne se débattait plus, il n'avait plus peur.

Le fin lui libéra la bouche, elle resta grande ouverte. Ses jambes ne le soutenaient plus, mais il tenait à rester debout. Il s'accrocha au pan du mur, comme les mains de Pierre étaient restées pendues à la chaîne de la chasse d'eau quand il s'était pété la cervelle dans ses toilettes. Avait-il essayé de se relever tout seul une dernière fois, Pierre ? Ou bien voulait-il mourir debout ? Car c'était pour lui qu'il l'avait acheté le fusil, Pierrot, rien que pour lui.

Sélim aurait voulu partir tout seul, mais pas avec le souvenir de son voisin. Pierre qui avait dû le tâter, le bichonner, son fusil, avant de se le foutre dans la bouche. Et partir ensuite. Comme Sélim. C'est ce départ qui mit Sélim sur la route de Pierre. Pierre qui ne verra pas Reims remonter en première division, ni les larmes qui coulaient sur les joues de Sélim ce jour-là.

Il avait laissé un mot sur la porte des toilettes.

« Ça vaut pas le coup de continuer à vivre avec des pourris ! »

— Beurk ! hop, hop ! nargua une dernière fois le fin qui s'agitait comme un singe, face à Sélim, lequel peu à peu glissait contre la porte du garage.

Il ne comprenait pas le manque de force qui le faisait glisser jusqu'à terre. Dans un ultime sursaut Pierre lui revint encore. Car souvent Sélim avait pensé à la mort de son voisin et du silence qui s'installe quand l'âme et le corps se quittent.

Il avait essayé d'imaginer, de ressentir la mort. Le visage de Pierre est encore là, dans la dernière ligne droite, la tête cassée sur le verre de pastis vide. Les gauloises bleues. Les ongles noirs. Et pourquoi pas avec Pierre, en fin de compte, partir pour partir ! Le visage de Sélim s'écrasa sur le pavé froid. Froid.

Saliha est assise sur un banc de la zone douanière de l'aéroport de Tlemcen, Algérie.

Ses cheveux fatigués sont tirés en queue de cheval. Sur sa joue gauche une mèche vagabonde qu'elle repousse derrière l'oreille. Depuis la mort de son frère, quatre jours, Saliha n'a rien avalé sinon de l'eau. Elle n'a envie de rien, sauf de mourir peut-être.

« La fille de pute d'enculée de sa mère », comme l'a appelée le chef douanier, enfouit ses mains frileuses sous son gros tricot. Elle porte une jupe longue à plis, des bas noirs cachent ses mollets. Il vaut mieux se couvrir pour aller là-bas, lui a-t-on dit à Reims, surtout une jeune fille ; sinon gare aux quolibets qui fusent dans ton dos. Sur le dos, Saliha porte un blouson de jean's.

L'aéroport respire, c'est la nuit. Les bureaux de la douane sont déserts et les guichets clos. Pourtant la jeune fille n'ose pas quitter sa place. Elle a peur. « Fille de chien pourri, tu le poses là ton cul niqué par un roumi, et tu ne bouges plus ! » lui avait ordonné le chef douanier, une boule de nerfs, sa chemise kaki noire de sueur sous les aisselles.

C'était la veille, en début d'après-midi, à sa descente d'avion. Il est maintenant trois heures du matin et Saliha est à la même place.

— Bent harki ! Bent harki ! Fille de harki ! Fille de harki ! répétait le chef douanier en montrant Saliha à ses collègues, aux voyageurs massés derrière leurs valises qui, pour un peu moins de fouille, approuvaient les insultes ou faisaient semblant.

La fille de harki baissa la tête devant le doigt tendu du douanier. Si tendu qu'il tremblait comme un flingue cherchant sa cible. Saliha patienta tout l'après-midi qu'on lui rende son passeport, debout, devant le guichet du douanier en rogne. Il n'en démordait pas le bougre ; dès qu'il en avait fini avec une valise, il revenait, le poing vengeur, sur Saliha :

— Son frère se fait buter par des Français racistes de mes couilles (Saliha crut qu'il allait ajouter « et ils ont bien fait ») et son harki d'enfoiré de père veut l'enterrer ici !

Il s'en tapait sur les flancs le douanier. Il prenait le public à témoin, l'air de dire : on nous prend pour des cons ou quoi ?

— Comme si l'Algérie ne se souvenait pas des salauds qui l'ont trahie ! (Il hurla :) Tu baises l'Algérie et quand tu en as besoin tu reviens, tu t'en sers comme si de rien n'était ? Ni vu ni connu, hein ?

Il tournait en rond. Il jouait, gestes à l'appui.

Il reprit son souffle et cria :

— Zobi ! Ils ne passeront pas ! avec un mouvement brusque vers l'avant, de son cou rouge de colère. Oualou !

Et il regagna, les mains sur les hanches, le fond de la scène : là où on guette mine de rien les applaudissements. Attendant leur vol, les curieux approchèrent pour regarder la fille de harki en se murmurant des choses. Certains la dévisageaient comme une lépreuse, d'autres ne se souvenaient plus.

Saliha eut la peur. Celle de rien. Celle qui rend fou parce que la pensée éclate en mille morceaux et qu'on n'a plus de point de repère. Ses mains s'agrippèrent au banc. Pourtant elle avait envie de fuir pour chercher, se retrouver... ailleurs. Elle s'accrocha au banc afin de ne pas se mettre à courir comme une folle dans tous les sens. Elle serra ses lèvres de crainte de dire n'importe quoi, en fait de hurler. Elle se défendit d'ouvrir cette bouche que chatouillaient de sombres émotions.

Son corps si tendu, piqué aux nerfs lui faisait mal. Elle se vit détaler de la zone douanière et aller fracasser, tête en avant, les façades vitrées pour trouver de l'air, se sauver d'elle-même, de ses pensées qu'elle ne contrôlait plus, comme la petite « aubergine » de l'école communale. Surnommée « aubergine » par les mômes de sa classe parce qu'elle avait sur la joue une plaque rouge-violet. Quand l'institutrice criait trop fort la petite aubergine, une blonde aux yeux verts, paniquait. Elle se mettait d'abord à tapoter des pieds sous la table, puis sa tête, dans l'océan du vide, dodelinait violemment sur les côtés, et pour que ses camarades ne remarquent pas son désarroi, elle serrait le bord de la table de toute la force de ses petites mains. N'ayant plus en elle ni raison, ni force d'apaisement, elle courait vers la porte de la classe chercher refuge dehors. L'institutrice lui barrait le chemin en essayant de la calmer. Les élèves hurlaient, comme dans un jeu, contentes de cette récré inattendue. L'aubergine se perdait entre les tables sans un mot, sans un cri, et retournait toujours vers la porte qu'elle voulait franchir. Elle devenait violente, tirait la robe de l'institutrice, mordait les bras qui tentaient de la serrer. La maîtresse, lasse, abandonnait et la petite trouvait sa voie dans les couloirs de l'établissement.

Enfin pour cacher sa peur et recoller son esprit, la petite blonde s'enfermait dans un des cabinets. Elle n'ouvrait qu'au directeur qui la transportait, tremblante, à l'infirmerie, où on lui faisait avaler une moitié de pastille extraite d'une boîte rouge. La petite blonde ne sortait de sa chambre que pour aller à l'école. Autrement, jamais. Quand Saliha l'invita chez elle à un anniversaire elle ne vint pas. Elle craignait toujours qu'une de ces putains de trouille ne la chope n'importe où.

Elle ne savait plus rire.

— Elle a de la mémoire, l'Algérie ! reprit le chef douanier qui ne voulait pas lâcher une proie si facile... Et de la fierté ! Tous ceux qui ont essayé de la baiser sont marqués d'une encre de sang dans notre histoire.

Le fonctionnaire faillit lever le poing.

— ... Ils nous enculent, ils reviennent, et il faudrait qu'en plus on les félicite, ces fumiers de harkis !

Il était à deux pas de Saliha. Elle n'osait lever la tête.

— Ils paient dans leur éternel exil, ils paieront toute leur chienne de vie !

Dans la foule il y en avait qui l'auraient applaudi, le chef, mais d'autres se préoccupaient plus d'une sortie facile et avançaient discrètement leur cadeau pour le chef. Les pauvres étaient fouillés jusqu'aux chaussures.

— Fille de traître, c'est tout ce que tu es ! J'aurais aimé recevoir ici ton enfoiré de père. S'il en avait, il serait venu à ta place reconduire son fils sur le sol natal. Il a choisi la France et tu as vu comment elle le lui rend ? En cadavre, bien fait pour vous ! Il manque de s'applaudir, le chef.

— Lève-toi ! ordonna-t-il à l'adolescente.

Docile, elle s'exécuta. D'un doigt suant il lui releva le menton. Sans faire cas des larmes sur son visage, il ajouta en lui tendant son passeport :

— Le pays ne veut pas de la progéniture des traîtres ! Téléphone à ton père et dis-le-lui. C'est un de Ben-Essedik qui l'affirme, pour toute cette région où on n'a pas oublié son nom.

Le fonctionnaire revissa son pantalon au plus haut de son ventre rond. Il fit un mouvement qui ressemblait à un garde-à-vous et partit d'un pas vif, la sueur plein le dos.

Saliha appela Reims et avertit ses parents de son retour sur Paris, avec le cercueil, dans la matinée du lendemain. Elle raccrocha le combiné sans en dire davantage. Sans dire que, malgré le télex envoyé par Azzedine, son père, à sa famille d'Algérie, aucun cousin n'était venu à sa rencontre. Pas même son oncle Driss, frère d'Azzedine.

Face à la stupide attitude du douanier, elle avait attendu une aide, un réconfort. Rien. Personne, ni de la famille de son père, ni de celle de sa mère. Au début de leur exil, Meriem et Azzedine avaient évité de donner des nouvelles à leur famille. Azzedine craignait une chasse aux harkis. Ce n'est qu'à la naissance de Sélim qu'il avait écrit à Ouled-Haffouz sa dachra natale, par Medenine village, pour annoncer l'heureuse nouvelle à sa mère.

La correspondance devint ensuite fréquente, accompagnée de cadeaux et de mandats avec accusé de réception, mais sans jamais de réponse. Le couple acceptait ce silence. Meriem et Azzedine faisaient-ils honte ? Les jalousait-on ? Ils ne savaient pas. Les envies de revoir le pays, la famille, ne manquaient pas à Meriem. Quand elle se retrouvait seule dans le F4, elle fredonnait sa nostalgie par des chansons anciennes.

— Et le pardon ! demandait-elle, s'il faut le payer, je le ferai de ma vie. Pour Azzedine il n'en était pas question.

— Je n'ai rien à payer !

Pas âme qui vive autour de Saliha, que du silence. Ils sont tous rentrés chez eux, happés par la nuit, la laissant seule dans l'aéroport. La solitude, c'est dans les chansons qu'elle se disait, avant. En famille. Maintenant il n'y en a que pour elle. Elle était à la même place sur le banc. Face à l'épreuve et aux insultes, son corps s'était amaigri. Elle faisait pauvre, triste. La mèche rebelle fuguait encore sur sa joue. A quoi bon la ramener derrière l'oreille !

Un vigile était passé, l'avait regardée. On lui avait sans doute dit qui était Saliha. Sans un mot, il était reparti. Saliha se leva et alla vers le seul être qui, comme elle, restait dans ce silence, son frère. Elle se dirigea vers l'infirmerie, là où les autorités douanières avaient mis le cercueil de Sélim en attendant son renvoi. Expulser un mort ! Elle caressa le cercueil, tourna autour, s'écrasa sur le bois et dit des mots d'enfant :

— Réveille-toi grand frère et tout ce chagrin sera fini. Je t'en supplie, ne nous laisse pas comme ça. Tu n'as pas le droit de briser en un rien de temps les rêves de Papa et Maman. Debout Sélim, comme avant, avant. Sa bouche effleurait le bois, l'embrassait. Elle n'arrivait pas à pleurer et s'en voulait. Elle avait laissé ses dernières larmes au douanier, elle n'en avait plus. Elle serra ses petits poings et cogna sur le cercueil.

— Sélim, qu'allons-nous être sans toi ?

Elle implora encore le coffre muet. Elle n'avait jamais pensé à la peur de se retrouver seule sans son grand frère. Le vide créé par cette mort était profond parce qu'elle avait trop aimé Sélim, trop compté sur lui. Il arrangeait toujours tout. Même les sorties de sa sœur. Il disait qu'il l'emmenait au cinéma, puis la laissait aller voir ses petits copains. Lui se payait une toile ou l'attendait à une terrasse en feuilletant un livre. Ensuite, les deux rentraient bras dessus, bras dessous chez les parents qui avaient confiance : elle était avec son frère.

— Sélim, c'est quoi un harki ?

— Pourquoi tu me demandes ça ?

Elle avait neuf ans quand elle posa la question à son frère. Ses parents l'avaient inscrite dans une colonie de vacances à la Mairie et le règlement ne tolérait que deux enfants étrangers par groupe d'une vingtaine d'enfants français. Les immigrés, désireux d'inscrire leurs enfants à une section, s'alignaient, dès l'aube, en une longue queue devant la porte de la Mairie. Ils venaient par centaines pour douze places. Dans le groupe de Saliha, il y eut trois heureux élus. Un petit Marocain, une petite Tunisienne et elle, Saliha, parce qu'elle est fille de harki, qu'ils disaient, jaloux, les mômes d'immigrés, à la communale.

— Oui, tu es fille de Français, c'est pour ça que tu vas en colo ! Ton père il est malin, il a fait la guerre contre nous. Elle fut mise à l'écart et surnommée Harkia. Féminin de harki.

— Va jouer avec tes frères français, lui balançaient les petits immigrés, dès qu'elle s'approchait d'eux à la récré.

— Chez toi, tu manges du porc et tu bois du vin, et le midi t'oses venir à notre table ! lui envoyaient les petites Arabes.

Elles la sommaient de quitter la rangée des tables réservées aux musulmans, là où Azzedine, son père, exigeait qu'elle soit. Ne supportant plus les querelles, Saliha s'inventa toute une semaine des maux de ventre pour que sa mère la dispense de cantine.

— C'est pas bon maman, c'est tellement mieux à la maison !

Et Meriem la retira de la cantine.

Enfin, et parce qu'elle n'en dormait plus, elle demanda :

— Maman c'est quoi un harki ?

Accroupie devant le réfrigérateur ouvert, Meriem se raidit brusquement, oubliant ce qu'elle cherchait dans le bac à légumes. Après un long silence et sans se retourner, elle dit :

— C'est quelqu'un qui a eu le courage de tout perdre pour faire vivre sa famille.

Meriem se retourna et regarda sa fille. Saliha n'avait rien compris et ne cherchait pas à comprendre. Pour elle, l'important était que sa maman lui ait donné une réponse où l'on ne sentait ni honte ni remords. De sentir sa mère sûre d'elle la rassura. Elle n'en attendait pas tant. Inquiète, Meriem se redressa. C'était la première fois qu'un de ses enfants prononçait le mot banni :

— Pourquoi cette question ?

— Je l'ai lu dans un livre.

Meriem n'alla pas plus loin.

— Sélim, c'est quoi un harki ? demanda le même jour Saliha à son frère.

Il était plongé dans ses devoirs, elle finissait les siens.

— J'ai demandé à Maman, mais je n'ai pas compris ce qu'elle a dit, en tout cas elle est fière qu'on soit harki !

— Fière, non, dit Sélim, de quatre ans son aîné. Elle n'a pas honte d'être femme de harki, c'est différent !

— Mais c'est quoi un harki ?

— C'est un Arabe qui, pendant la guerre entre les Français et les Algériens, s'est battu contre les Arabes.

— Contre nous ! Pourquoi ?

Elle avait eu un choc. Elle revoyait le graffiti sur le mur de l'école : « Les Arabes dehors. »

— Peut-être parce qu'il pensait que pour son pays un gouvernement français c'était peut-être mieux ! supposa Sélim.

— Alors Papa n'aimait pas les Arabes ?

Elle pensa à son institutrice : « Les Arabes ce n'est que des problèmes. Ils n'arrivent pas à suivre et du coup ils freinent les autres élèves. » C'était ce que Mademoiselle Le Goff avait dit un jour en classe. Saliha s'était sentie visée, et elle pensa que son père avait peut-être les mêmes raisons d'en vouloir aux Arabes : ne voulait-il pas qu'elle soit la première ?

— Mais si, Papa aime les Arabes, puisque nous le sommes ! Je pense que ce qu'il voulait, c'était que les Français restent en Algérie avec les Arabes, pour travailler ensemble.

— Alors pourquoi à l'école Zahia et Nourredine ne veulent plus jouer avec moi ?

— Parce qu'ils sont jaloux que tu partes en colo et pas eux !

Ce que Sélim savait des harkis, c'est son maître de l'école coranique, Si Ali, qui le lui avait appris. Azzedine avait inscrit son fils en cours du soir en vue de lui donner aussi une éducation musulmane. Là ses petits copains le surnommaient « le Français » et, pendant la pause, les coups de poing étaient fréquents.

— Ould harki ! fils de harki, si tu veux jouer au foot avec nous tu seras dans les buts. Devant y'a pas de place pour toi.

Et Sélim retroussait ses manches, crachait dans ses pognes. L'intégriste de maître les séparait.

— Si Ali, c'est quoi un harki ?

Le maître lui avait répondu :

— T'occupe pas d'eux, ce sont des idiots, applique-toi à ton travail, je connais ton père, c'est un brave homme.

Coincé toute sa vie entre le rejet d'une communauté française et les insultes de l'autre, l'algérienne, Sélim se frayait un chemin à coups de poing. Jamais il ne se plaignait et toujours il cherchait à distancer ceux qui le narguaient. Premier en tout, et regrettant de ne pas en savoir davantage, inquiet d'être rattrapé par la meute. Seul contre tous, c'était sa force. Il étudiait sans cesse et marchait droit, le front bien haut pour se sentir grand, un peu plus grand que les autres. Seul. Il aimait cette sensation, être fort et seul, sans craindre personne. Car il irait trop loin pour que les moqueurs le rejoignent. Et plus il se séparait des autres, plus il prenait du plaisir. Il n'y eut que Marc pour le comprendre, le suivre.

Saliha quitta l'infirmerie. Elle tournait en rond dans la salle de douane, les mains cachées sous les manches trop longues de son tricot. Elle allait à petits pas la tête baissée et les bras ballants sur le carreau gris. Elle n'avait jamais autant aimé ses parents que dans cette aire vide sous les néons blancs, agressifs. Si les siens étaient là elle le leur dirait comme elle ne l'a jamais fait. Après le rêve brisé, ils n'étaient plus que trois en ce monde. Trois seulement. On arrête tout et on se laisse aller, las, découragé. Renoncer ou repartir toujours, seuls, à trois, bras dessus, bras dessous pour se porter et ne plus avoir confiance en personne d'autre.

« Alors quand Papa et Maman mourront je resterai seule ? » Elle entendit le bruit d'une porte qu'on poussait. En se retournant, elle se rendit compte qu'elle s'était assise sans ouvrir les yeux à la place que lui avait imposée le chef douanier. Le bruit ? Une vieille femme qui entrait dans la grande salle. Saliha la crut d'abord femme de ménage, mais elle était bien trop vieille et trop faible pour qu'un employeur lui fasse encore confiance. Elle était toute petite et sèche comme une racine au vent, la vieille. Elle était chaussée d'espadrilles bleues sans lacets, ouvertes aux orteils et sa tête était couverte d'un foulard clair à fleurs. Une mèche hennée resquillait sur le front.

Dès qu'elle vit la jeune fille elle ne la quitta pas des yeux. Elle vint vers elle. Mais, au milieu de l'immense salle, elle dut s'arrêter pour reprendre son souffle. Alors Saliha vit les lèvres serrées de la vieille trembler sur sa bouche édentée.

Sa gorge battait. Sur le front elle avait un tatouage, une branche d'olivier, l'emblème de ses ancêtres, qui penchait avec les rides. Elle se déplaçait comme si elle avait marché toute sa vie, sans halte, à bout de fatigue. Saliha se demanda comment ses petits pieds pouvaient encore la porter — ils étaient si fins — et ses petites mains, usées, saisir quelque chose ? Ses yeux voyaient-ils suffisamment ? La vieille s'approcha d'un pas.

Elle fixa Saliha, la détailla de bas en haut. Elle lui adressa son plus tendre sourire, puis se pencha vers .elle comme pour sentir son odeur. Gênée, Saliha ne savait que dire. Elle répondit poliment à son sourire.

Si la vieille avait pu, c'est d'un seul élan qu'elle se serait jetée sur l'adolescente. L'âge la fit vaciller. Elle posa une main tatouée sur la tête de Saliha. Ses épaules tremblaient sous le fichu carmin et violet. Elle dit :

— Aïnin, aïnin oulidi[1] !

L'émotion gagna son corps mais elle ne plia pas.

Saliha comprit le mot arabe « fils, mon fils ». Elle se redressa.

— N'tia Saliha, bent oulidi Azzedine[2] ?

Saliha se leva. Elle avait compris toute la phrase, elle prit les joues de la vieille et l'embrassa sur le front.

— Oui, je suis Saliha, fille de ton fils Azzedine.

Elle serra si fort sa grand-mère qu'elle eut peur de l'étouffer. Secouée par la peine, les genoux de la vieille flanchèrent. Saliha ne put contenir ce morceau de vie. Elle se laissa aller aussi et ses genoux tombèrent à terre. Elles s'embrassèrent, les lèvres trempées de pleurs. Violemment.

— Ma fille, ma petite fille.

— Grand-mère... !

C'est bon, l'odeur d'une grand-mère, c'est chaud. Saliha ne savait pas. Elle eut envie de le lui dire : « Tu es encore plus belle que dans les histoires de Papa. » Elles étaient nez à nez, les yeux dans les yeux. Saliha n'avait jamais poussé son imagination très loin derrière la Méditerranée. Elle se sentait, comme sa famille, abandon-

1. Ses yeux, les yeux de mon fils.
2. Tu es Saliha, la fille de mon fils Azzedine ?

née par ceux de « là-bas », qui ne répondaient pas au courrier. Alors elle évitait d'imaginer quoi que ce soit. Cette nuit-là, elle regretta de n'avoir pas rêvé cet amour si fort, si bon. Elles étaient l'une contre l'autre, et l'étreinte fut si forte que rien que pour cette sensation Saliha depuis longtemps eût risqué le voyage. Cet amour, elle ne pouvait y croire.

— Ma petite fille, où est ton frère ?

Les mots arabes revenaient facilement dans la mémoire de Saliha. Elle les comprit tous.

Elle se dit que son père avait raison quand il la poussait à fréquenter avec Sélim l'école coranique.

Assise à l'infirmerie, les jambes croisées, la vieille pria, une main sur le cercueil. A côté d'elle, sa petite-fille lui tenait l'autre main. Elle observait le mouvement des lèvres fines de la grand-mère en appelant à la clémence de Dieu. Saliha posa sa tête sur la cuisse de la vieille, qui enfin parla :

— Tous ont refusé de venir à ta rencontre. Que ce soit les sœurs de ton père, leurs hommes, même Driss le plus gentil, aucun n'a voulu m'emmener jusqu'ici. Alors je me suis sauvée pour venir vers toi, et comme je ne suis jamais sortie plus loin que notre douar, je me suis perdue dans la campagne.

Elle caressait les cheveux de sa petite-fille.

— Par la route en goudron ils m'auraient

retrouvée et ramenée — elle souffla — donc j'ai marché par les sentiers et par les champs toujours en direction des lumières qui, la nuit, éclairent Ras-el-Aïne pour me diriger sur Tlemcen. Je me suis perdue souvent, heureusement à chaque fois un berger m'a reconduite vers le bon vent. La nuit est tombée, je voulais continuer mais la vieillesse me tirait par le dos à me faire tomber à la renverse. Je me suis assise au bord de la route goudronnée. Là des voitures m'ont aidée, mais elles n'allaient jamais bien loin. « — Oh ! Chibania, c'est loin Tlemcen pour toi, m'a dit un camionneur. — Je veux aller à l'aéroport et j'y arriverai ! » que je lui ai répondu. J'allais la tête tournée derrière de peur qu'un de tes oncles me retrouve. Ils ont des voitures. Nour, le plus jeune, m'a menacée. Il m'a dit de ne jamais revenir au hameau si, en cachette, j'allais vers toi. Il est à la police et il a peur de perdre sa place. Mais je savais que Dieu m'aiderait à arriver !

La vieille se pencha pour embrasser la tête de sa petite-fille.

— Maintenant ils savent que je suis avec toi et avec Sélim. Ils vont arriver, dit-elle en regardant du côté de l'entrée, mais ils n'oseront pas entrer. Ils m'attendront dehors.

Elle reprit son souffle et adressa quelques mots au Bon Dieu. Puis :

— Depuis l'indépendance ils ne m'ont pas lu une seule lettre de ton père. Ils me cachaient le courrier, votre adresse. Ils se partageaient l'argent des mandats et se battaient pour les cadeaux, et moi tout ce que je voulais c'est qu'ils vous envoient deux mots de remerciements et d'amour de ma part. Ils n'ont jamais eu pitié de moi. Ils ont vite oublié que s'ils ont pu manger et faire manger leurs enfants avant l'indépendance, c'est que ton père, en s'engageant dans l'armée française et en se reniant, les entretenait avec sa solde. Ton père s'est perdu pour qu'aucun de ses frères, aucune de ses sœurs n'aient trop à souffrir. Et moi qui fus si cruelle avec ta mère ! Mon Dieu, qu'elle me pardonne !

— Maman n'a pas eu la force de venir, dit Saliha. Elle ne pense plus, depuis que Sélim est mort. On dirait qu'elle a perdu la mémoire. Il a fallu que Papa l'attache, autrement elle se serait défigurée. Le médecin est venu et après elle a été comme absente.

Meriem avait pleuré seule avec sa fille. Sans famille en France Azzedine avait verrouillé porte et fenêtres du F4. Et pas de pleureuses non plus comme là-bas. La grand-mère pourrait en dire à Saliha, sur les pleureuses. C'est qu'elle l'a été une demi-douzaine de fois dans sa jeunesse, mais comme elle n'était pas une larmoyeuse convaincue, ni convaincante, on ne l'avait plus rappelée. Car c'est comme les athlètes, les pleureuses, avec l'âge elles s'émoussent, perdent leur jus, alors on les oublie pour faire place à des jeunes qui jouent des coudes en essayant de copier les grandes divas pleureuses, les vraies, les pros, celles qui à peine invitées au deuil s'informent des vertus du défunt pour les vanter, les chanter en larmes au milieu de la cour. Celles qui refusent qu'on vienne les prendre en carriole, préférant arriver les pieds en sang. Ça en jette plus !

Les meilleures s'annoncent par des hurlements morbides, alors qu'elles sont encore à six lieues de la maison endeuillée. Il y en a qui, à peine sont-elles en vue à l'horizon, plongent, avec violence, sur le sol caillouteux et truffé d'épines. Elles se roulent par terre, se frappent la poitrine, la tête, les cuisses, se tirent les cheveux, se griffent le visage, ajoutant de la poussière à leurs larmes et à leur sueur. Pour être tout de suite bien notées, elles rampent jusqu'à la demeure et leurs habits n'ont plus rien d'un vêtement, même s'ils étaient faits pour la circonstance. C'est en guenilles qu'elles franchissent la cour et vont d'un pas bancal embrasser la maîtresse de maison. Elles hurlent, prient, chantent à s'en arracher les tripes et envahissent la cour comme les premières de la classe, puis réclament de l'eau. Elles ont bien mérité le repas de fin de pleurs, et les plus audacieuses, les plus résistantes, repartent avec le cadeau, un litre d'huile, un kilo de sucre.

La vieille femme s'est ensuite endormie. Saliha était toujours allongée, par terre, la tête posée sur la cuisse de sa grand-mère, qui avait fini par s'endormir, laissant ses mains tatouées sur les cheveux de sa petite-fille.

Si Azzedine les voyait : celle qui l'a mis au monde avec celle qu'il a mise au monde ! Hier et demain. Elles étaient là et lui aussi, par elles, était dans cette salle cafardeuse, où elles se raccrochaient l'une à l'autre pour avoir moins peur. Saliha sut, dans cette infirmerie, qu'après la mort de son frère, tout ce qu'elle entreprendrait désormais, ce serait pour oublier le temps, pour le faire passer sans histoire. Rien ne sera plus jamais comme avant. Elle vivra pour ne pas peiner ceux qui l'aiment. Elle ne voulait pas mourir. Elle ne désirait rien. Elle se demandait seulement si elle existait vraiment. La cuisse chaude de sa grand-mère sous sa joue la rappela à la vie. Ne connaissant la vieille que depuis si peu, elle eut le sentiment d'avoir toujours été portée par cette chaleur. Elle s'y était habituée et se sentait en sécurité dans le creux de sa grand-mère. Pour la première fois depuis la mort de Sélim, elle ferma les yeux, se donnant le droit de dormir. Sous les mains rêches de la vieille, elle ne craignait rien, pas même le chef douanier.

Une serpillière s'écrasa dans un seau d'eau. Au bruit du seau traîné sur le carrelage, l'aube chassa la nuit. C'était le ballet des balais. Les femmes de ménage, en ligne, caquetaient au milieu de la zone douanière. Dans l'obscurité, Saliha regardait la lumière qui commençait à filtrer sous la porte. Néons ou aube ? Elle ne chercha pas à savoir. Elle leva la tête vers sa grand-mère qui lui souriait. L'une et l'autre avaient envie de se parler, mais ne savaient quoi se dire. Saliha lança :

— Grand-mère, quand est-ce que Papa est né ?

— Ah ! Ce qu'il a pu m'embêter avec ça, à me

demander de me souvenir du jour et du mois de sa naissance ! Heureusement qu'il savait l'année. Tu sais, ma fille, nous vivions dans un hameau tellement retiré que personne dans la famille n'aimait aller en ville, à l'époque. Maintenant, avec l'automobile, c'est changé. Même l'armée française ne venait pas jusqu'à nous. Alors tu penses, quand ton père est venu au monde, ton grand-père a dit : nous le déclarerons quand nous irons en ville. Nous allions en ville une fois le mois, juste pour le sucre et le café. Et à chaque fois, celui qu'on envoyait au marché disait qu'il avait oublié de passer à la Mairie. Jusqu'au jour où j'ai fait un nœud au turban de ton grand-père. Il n'a pas oublié de ramener l'extrait de naissance. Sinon, ton père aurait eu l'âge de se déclarer lui-même.

Elles rirent.

— Ton père est né le jour où le premier train a traversé la campagne. Toute la basse-cour s'est blottie dans l'écurie, les vaches ont fait du lait caillé et moi, troublée, j'ai accouché au coup de sifflet de la locomotive. Elles s'étreignirent de nouveau en pouffant :

— Qui ne se souvient de la première locomotive ? Mais ne me demande ni le jour, ni le mois !

La grand-mère prit la main de la petite. Son pouce à l'ongle bleui et déformé allait et venait sur la bague de Saliha.

— Ton grand-père n'osait plus faire ses ablutions à la rivière, de peur d'être vu par les voyageurs. Il pestait contre le progrès. Ce train a tout changé. Comme on ne trouvait plus grand-chose dans les commerces du village, il a bien fallu le prendre. Les hommes d'abord, bien sûr, jusqu'ici, à Tlemcen, pour faire ce qu'ils n'osaient pas au village de peur d'être reconnus : se saouler et aller voir les filles. Ils revenaient avec des cigarettes et des chewing-gums et répétaient sans cesse, Okay ! Okay ! Ils ne portaient plus le turban et le soir, au lieu de fumer et de boire le thé ensemble, ils écoutaient le transistor chacun dans son coin. Ils ne pensaient qu'au prochain train. Ils avaient goûté à la ville, la vraie, celle qui fait perdre l'âme. Ensuite ils poussèrent plus loin, jusqu'à Oran. A Oran, ils ont vu la mer et après la mer, la France. La France ! Ils ont commencé un autre rêve, sauf ton grand-père. Lui n'aimait pas la ville. S'il n'y avait eu la mosquée, il n'y aurait peut-être jamais mis les pieds.

— Papa ressemblait à Grand-Père ? demanda Saliha.

— Aussi grand et aussi fort que son père, Azzedine ? Oh ! non. Ton grand-père était encore plus fort et plus doux. Il écoutait tout le monde et tout le monde l'écoutait. Parce qu'il comprenait bien les gens et qu'il n'avait qu'une parole. Jamais personne ne lui a manqué de respect. Dur à la tâche, généreux et fort. Tellement fort que lorsque les militaires français sont venus prendre nos hommes pour les emmener à leur sale guerre, c'est lui qu'ils ont inscrit en premier. Lui ne voulait pas, il ne savait pas où on l'emmenait, ni pour quoi faire. Il est parti à la guerre au matin et moi je croyais qu'il rentrerait le soir. Jour après jour je l'ai attendu avec la bassine d'eau de sel, prête à lui laver les pieds. Aucune nouvelle. Il ne savait pas écrire et là-bas personne ne connaissait l'arabe. Cinq ans ! Au bout de ces années de chagrin il m'est revenu. Il était tout seul. Un de ses frères, Mokhtar, parti avec lui et un fils de Taos la borgne ne sont pas revenus. Ils sont morts sous les balles allemandes comme beaucoup d'autres des hameaux voisins et de la ville. Ils les mettaient en première ligne parce qu'ils étaient forts et ne se plaignaient jamais. Après leur guerre, les Français ont érigé un monument commémoratif au centre-ville : pas un nom arabe sur la liste, m'a-t-on dit. Au retour de ton grand-père, quand il est apparu au bout du sentier qui longe la rivière, le chien, pourtant très vieux, a eu un aboiement de jeune clebs qu'on étrangle. Il a même fait semblant de voir et d'entendre tant il était fier d'être le premier à avoir reconnu son maître. Mon Dieu ! Moi j'avais du mal. Il avait honte de revenir dans cet état, sous son lourd manteau et son képi. Il avait fondu, il allait le dos courbé à petits pas. Je n'ai même pas pu lui laver les pieds : ils étaient blessés et pansés. Le fusil encore sur l'épaule, voilà comme il est revenu ! Quand ils n'ont plus eu besoin de lui ils l'ont laissé partir sans soins. Son ventre était tailladé par les coups de baïonnette et les pansements secs avaient épousé les plaies. De gros trous dans le ventre et des cicatrices jusqu'au cou. Nuit et jour que je l'ai soigné! Je l'ai emmené en pèlerinage à Sidi Ali, je l'ai lavé au hammam Boughrara. Rien n'y a fait. Il est mort de ses blessures. Je le vois encore caressant le museau du chien et se forçant à sourire pour me rassurer.

Avant de mourir, il m'a dit :

— J'ai tué des hommes. Puis, avant de tourner la tête : Ils avaient aussi peur que moi!

On voyait bien qu'il avait encore de la peine. Du remords aussi. Il a demandé le pardon. Je lui ai fermé les yeux et essuyé les paupières.

Les femmes de ménage envahirent l'infirmerie, surprises de trouver la vieille et sa petite-fille. Alors celles-ci quittèrent les lieux, laissant les balais à leur besogne.

Le jour était là et en pleine forme. Pas un nuage ne ternissait le ciel. Saliha entraîna sa grand-mère vers la cafétéria. Le barman ajustait son nœud papillon dans le reflet de la machine à café. Les deux femmes s'accoudèrent au bar. Etonné, le garçon regarda la pendule du hall.

— Sabah elkheir! dit-il. Vous allez devoir attendre, je n'ai rien de prêt à vous servir!

Elles patientèrent devant une table.

— Qu'est-ce que tu veux être plus tard?

— Infirmière, dit Saliha.

— Que Dieu te vienne en aide... Est-ce que ton père pense à moi?

— Oh! Oui grand-mère! Puis Sélim et moi, nous n'arrêtions pas de lui poser des questions sur toi. D'ailleurs à la maison on ne t'appelle pas grand-mère, on t'appelle par ton prénom, et Papa « Halima la chipie », « Halima la tigresse ».

Halima sourit, flattée de toutes ces pensées pour elle à des milliers de kilomètres.

— Tu diras à ta mère qu'elle me pardonne, dit-elle en posant sa main sur celle de sa petite-fille.

Saliha aurait voulu savoir ce qu'il y avait à pardonner, mais elle n'osa pas le demander. Le garçon apporta deux grands cafés, accompagnés d'un pichet de lait. Elles remercièrent. Saliha paya et donna à Halima tout l'argent français qui lui restait, mais la vieille refusa. Alors Saliha lui mit les billets dans le corsage, puis elle sortit de son sac des photos de ses parents, de Sélim. Halima les caressa sans commentaires puis elle les approcha tout près de ses yeux, comme si elle essayait de distinguer des détails sur les visages, sur le décor.

— C'était encore un enfant! dit-elle seulement

en rangeant les photos dans son corsage. Elle baissa la tête, cachant une larme qui perlait.

Un douanier apparut à l'autre bout de la cafétéria. Sans approcher il fit signe à Saliha de le suivre. Au milieu des premiers passagers qui s'installaient autour, les deux femmes s'embrassèrent une dernière fois. Plus fort que jamais. Elles pleurèrent d'amour.

— Comment vas-tu retourner chez toi, grand-mère ?

— Oh ! Les enfants doivent m'attendre dehors, c'est juste le courage de te parler qui leur a manqué. Le courage d'être vus avec toi.

Elles se serrèrent encore une fois.

— Mais tu diras à ton père qu'ils étaient tous là avec nous, frères et sœurs, oncles, tantes et cousins, mais que tu ne les connais pas tous par leur nom. Dis qu'ils t'ont accueillie, embrassée, dis qu'ils ont pleuré Sélim. Dis aussi qu'ils ont essayé de parler avec la douane pour faciliter le transfert de Sélim. Dis-lui que je l'aime mon fils ! Dis-lui que je l'aime, ta mère !

— Mademoiselle ! s'impatienta le douanier.

Saliha lâcha sa grand-mère, qui resta immobile la tête basse, comme une errante qui a perdu son chemin et ne le cherche plus.

Sélim fut enterré au cimetière communal de Reims. Afin d'éviter la teinte noire du corbillard, Azzedine son père loua un J7 Stricher. Il y avait aussi Huguette et Marc, et pas de fleurs.

— Vous êtes le dernier à l'avoir vu, comment était-il quand il vous a quitté ?

— Bien... heureux même ! répondit Marc, la gorge nouée par l'obligation de mentir.

Azzedine serra très fort Marc contre lui.

— Comme avant, notre porte vous est toujours ouverte.

Marc répondit : « oui... oui merci ».

Dans la feuille de chou du coin, le maire dit que la municipalité et la police avaient tout mis en œuvre pour arrêter les coupables et que ceux-ci méritaient un châtiment exemplaire. Mais il avait été élu de justesse à la Mairie, grâce aux voix de l'extrême droite.

Saliha quitta la maison familiale :

— Je ne peux plus rester là, à l'attendre, à le chercher.

Meriem et Azzedine restèrent silencieux. L'adolescente alla loger au foyer des infirmières de l'hôpital, où il y avait toujours une chambre libre. Meriem dit qu'elle ne pouvait plus désormais vivre dans ce pays où l'on avait tué son fils parce qu'il était beau. Elle était mourante de chagrin.

— Aide-moi Azzedine, je t'en prie laisse-moi quitter ce pays pour rentrer chez moi, et pardonne-moi si je te laisse !

Il l'aida.

Elle était recroquevillée sur un tapis d'Orient, coincée à l'angle d'un mur et le front baissé. Comme quand Azzedine était allé la tirer de sa dachra pour la marier. Sauf qu'à cette époque, il la trouvait la plus belle de toutes dans sa robe de nylon à fleurs et sous le voile transparent qui masquait le visage non maquillé, juste la bouche passée au souak qui donne des gencives et des dents éclatantes, et du henné sur la plante des pieds et la paume des mains. Quand Meriem avait levé les yeux sur celui qui lui tendait la main elle semblait lui dire :

— Ne me prends pas garçon ils se moqueront de toi !

Il lui avait pris les mains et l'avait emportée sur le vieux cheval. Lorsque Azzedine avait dit à sa mère :

— Je veux pour femme Meriem d'Ouled Cheikh-Faka.

Halima s'était griffé le visage et avait hurlé :

— Tu veux me rendre folle ! Tu veux me faire honte !... Tu sais bien qu'elle a été mariée, cette fille-là, et que son mari l'a reniée même pas au bout d'un an ? Pourquoi ? Personne ne le sait ; alors tant qu'on ne saura pas pourquoi, tu fermes les yeux dessus. Ça ne te fait donc rien que je traîne toute ma vie une belle-fille qu'on montrera du doigt ? Je ne la veux pas chez moi ! Je ne veux pas d'une Ouled Cheikh-Faka, ce ne sont que des hypocrites !

— Moi, je la veux, répondit Azzedine.

— Mon fils tu seras donc toujours un faible ?... Tu veux que je te dise ? Ces gens-là t'ont jeté un sort pour se débarrasser de leur fille !

— Je la veux, et tu iras le leur dire !

— Jamais je n'irai chez Ouled Cheikh ! L'année dernière son fils a ramené du Maroc un carton rempli de savons de Marseille et elle ne m'en a pas donné un seul, alors que mon visage était gercé et brûlé !

La première fois qu'Azzedine avait vu Meriem, c'était au champ. Il aidait à la moisson pour les Ouled Cheikh, car les paysans de la montagne se donnaient la main, de hameau en hameau, pour les gros travaux. C'était la tradition, même si deux familles étaient en dispute à cause d'un lopin de terre ou d'une bête égarée. On oubliait pour un temps les bagarres fratricides. Meriem portait sur la tête le tagine de pain et en bandoulière la cruche pleine de lait caillé. De loin, Azzedine l'avait prise pour une vieille femme. Elle approchait des moissonneurs, le dos voûté et le pas malhabile sur la pierre sèche. Elle portait des vêtements tristes et un châle troué cachait ses cheveux. Elle n'avait que dix-neuf ans et son mari l'avait reniée à dix-huit. Quand ils l'apercevaient, les moissonneurs, devinant l'heure de la pause, posaient la faucille et gagnaient l'ombre du chêne. Ils s'envoyaient une chique sous la langue en attendant que Meriem les serve. Ses frères lui tournaient le dos, le temps qu'elle était là. Les autres la regardaient en biais. Ils osaient. Après tout ce n'était qu'une répudiée. Et encore pire « une célibataire déjà trouée », comme ils disaient. Une fille indigne pour le restant de ses jours. On peut la fixer sans qu'il y ait à redire. C'est bien pourquoi la corvée lui était destinée, comme toutes les corvées d'ailleurs, et pas à ses sœurs. Elles étaient propres, elles, les sœurs, et pures. Les parents envoyaient Meriem servir les hommes parce qu'ils n'espéraient plus rien d'elle. A moins d'un fou passant par là. Seul Azzedine la remerciait quand elle lui tendait la galette de pain ou vidait la cruche de lait caillé dans son bol. Elle ne levait pas le front sur lui. Elle ne pouvait. Lui voyait ses yeux sombres : un regard misérable mais fascinant derrière la mince ouverture du châle. Les jours suivants Azzedine ne pensait qu'à ça : ces yeux. Il attendait le casse-croûte. Il était amoureux et arrivait joyeux au champ. A la fin de la moisson d'Ouled Cheikh il s'enhardit. Quand Meriem s'approcha du chêne il la débarrassa de la cruche et du tagine et lui proposa de servir les autres. Tout pour qu'elle le voie, le remarque une seconde. Il eut des remerciements et enfin le regard noir et mystérieux se posa sur lui. Alors il décida que c'était avec ces yeux-là que, désormais, il voulait voir le monde.

— Tu es fou, une trouée, lui dit sa mère. J'en ai parlé à tes frères, ils ne sont pas contents et tes sœurs rient déjà d'elle.

Azzedine alla lui-même chez Ouled Cheikh demander la main de Meriem.

— Si tu la maries, je ne veux plus de toi au hameau, dit encore la mère.

— On ira dans le gourbi du grand-père. Lui au moins a été assez intelligent pour construire une habitation loin d'ici, pour être tranquille, s'énerva Azzedine !

Le gourbi était un refuge de scorpions et de vipères. La mère faiblit, accordant aux jeunes mariés une chambre près de l'écurie.

— Mais je ne donnerai rien d'autre à cette femme : ni dot, ni or, ni cérémonie, reprit la mère en furie. En l'acceptant chez nous, nous lui faisons le plus beau cadeau dont elle pouvait rêver. A toi, je te donne le vieux cheval pour que tu puisses porter ta honte. C'est ses sœurs et frères qui doivent être heureux : une bouche en moins à nourrir !

Halima pleurait sa honte.

C'est sur le vieux cheval qu'Azzedine ramena Meriem. Elle était recroquevillée et semblait encore lui dire : « Ne me prends pas garçon, tu ne récolteras que rires et quolibets. »

Il n'y eut pas un youyou sur leur passage. Pas un bendir. La campagne épiait derrière les murs de chaume et les montrait du doigt. La mère égorgea une poule qu'elle fit revenir avec des oignons et dès le lendemain elle envoya Meriem à la corvée d'eau. Le puits n'était guère loin, mais il fallait les soulever, les cruches pleines d'eau jusque sur le dos de l'âne. Les belles-sœurs ne reprirent jamais leur tour. Meriem balayait la cour poussiéreuse, lavait la vaisselle, allait chercher le bois. Elle ne résistait pas, elle se laissait faire comme pour se punir de n'être pas une mariée présentable. Le soir son mari lui massait les pieds.

— Et elle ne pond pas ! s'écria un jour la mère.

L'union datait d'un an et Meriem avait toujours le ventre plat.

— Je comprends que son premier mari l'ait répudiée, elle ne donne pas, ta femme !

Azzedine demandait patience mais la mère ne désarmait pas.

— Ils vont dire que c'est mon fils, grand et fort, qui est dépourvu de semence. Je les vois, ces vipères, aller de hameau en hameau et jeter leur venin.

— Répudie cet arbre sec, mon fils, sinon ta mère va mourir !

Derrière le mur de pierre Meriem entendait, et Meriem pleurait. Azzedine la réconfortait. Quand il avait le dos tourné, c'est le pain qu'on refusait à sa femme.

La terre ne donnait plus que du souci.

Deux des frères d'Azzedine, Aïssa l'aîné et Driss le plus jeune, avaient fui le hameau, poussés par la faim. Ils ne réapparaissaient qu'une ou deux fois le mois, avec quelques pièces de monnaie gagnées « dans les affaires », disaient-ils.

— Où allez-vous ? Que faites-vous ? demandait la mère.

Ils ne répondaient pas. « Des affaires. » Ils allaient du Maroc à Tlemcen, les pieds nus, traficoter sur du toc.

Délaissées, les épouses s'en prenaient à leur belle-mère qui n'avait pas su élever ses gosses. Driss, l'autre frère, ramassait l'asperge, seul légume qui n'attende pas la pluie pour pousser, petit et fin, au milieu des épines. Driss les proposait sur la route qui va à Tlemcen pour vingt centimes la botte. Il passait ses journées sous le soleil brûlant, courbé à la cueillette ou debout au bord de la route à héler les voitures, sa botte d'asperges à bout de bras.

Plus la misère pesait et plus la mère s'en

prenait à Meriem. La môme était effondrée de payer pour le ciel ingrat. Coincé toute la journée entre une mère en colère et une femme en pleurs, Azzedine n'attendit pas la pluie.

Un matin, sans prévenir ni sa femme ni sa mère, il alla en ville à la caserne. Il s'engagea dans l'armée française. Quinze francs la semaine, et déjà à sa première permission il revint avec des cadeaux et des victuailles. La maisonnée accepta, bien contente. La mère géra les économies. On put acheter du savon, du sucre, du café et de l'huile. Mais, alentour, le djebel ignora définitivement Azzedine. La mère avait dit aux voisins :

— Il fait ce qu'il veut, il ne m'écoute pas et il ne me donne rien ! D'ailleurs, s'il me proposait quoi que ce soit, pensez bien que je refuserais !

Meriem, la femme du sacrifié, eut droit ensuite à un peu plus d'égards dans la maison. On oublia sa stérilité et les belles-sœurs l'aidèrent aux corvées. On put même se payer le hammam tous les mardis. La mère guidait ses filles, sa belle-fille, jusqu'en ville. Elles faisaient quelques achats et, en passant devant la caserne, baissaient la tête.

Meriem aimait quand Azzedine lui mordillait le bout des seins. Cela lui donnait un frisson qui la soulevait de terre, et elle pouffait. La bouche d'Azzedine faisait le tour du corps de sa femme. Meriem lui caressait les cheveux et attendait que cette bouche revienne sur la sienne. Les yeux fermés, elle était tout sourire, émue de cet amour. Et quand il la pénétrait elle lui disait :

— C'est peut-être un petit bébé que tu m'apportes, Inch'Allah !

Elle croisait ses jambes sur son dos et se cachait en lui.

— S'ils te tuent, je mourrai après, disait-elle à son mari revenu de permission.

— Pourquoi veux-tu qu'on me tue ?

— Il paraît qu'on tend des pièges aux harkis quand ils s'égarent seuls en ville.

— Je ne suis jamais seul et je suis armé, la rassurait Azzedine.

— Fais bien attention... Je ne pensais pas qu'à deux on pouvait être aussi seuls.

Seul, Azzedine le fut quand Meriem quitta Reims. Elle lui avait dit :

— Rien qu'à l'idée de rencontrer dans cette ville l'assassin de mon fils et d'avoir à m'excuser si je le bouscule, je deviens folle !

Elle n'avait rien voulu emporter. Elle embrassa son mari, sa fille et prit son passeport français. C'était l'avion de midi, à Orly, Air Algérie. Saliha regagna le foyer des infirmières. Azzedine rentra dans le F4 devenu soudain trop grand et trop calme. Il s'assit au bord de la baignoire. Si seulement Pierre était encore là pour tirer deux ou trois cartouches en l'air et briser le silence. Après le décès de Sélim, la compagnie de cars où travaillait Azzedine lui avait donné trois jours de congé. Son uniforme de fonction, le blazer bleu et le pantalon gris, était accroché en face de lui sur la porte de la salle de bains. C'est ce jour-là qu'il s'acquitta de la prière pour la première fois de sa vie. Il dirigea le tapis vers l'Est et se souvint des mots que son père récitait cinq fois par jour.

Ensuite il alla ramasser *les Boucs* de Chraïbi qui traînait sous le lit de Sélim. Il posa le livre sur l'oreiller et referma la porte de la chambre de son fils en se disant qu'il n'aurait plus jamais le courage de la pousser. La chambre de sa fille était ouverte. La chambre conjugale, close : le harki dormit désormais sur le canapé-lit du salon.

Il quitta la salle de bains en se tenant les reins. Ils sont vieux mes os, se disait-il. Cinquante-trois ans. A deux piges de la retraite. Il s'en voulait de ne pas avoir accompagné sa femme. Là-bas, ils diront : il a peur, il ne veut pas mourir. Ça le remuait, il n'avait pas peur de mourir, Azzedine. C'est des mains de ceux qui n'avaient pris ni l'habit militaire français ni l'habit de la révolution, qui s'étaient incrustés dans l'administration après l'indépendance, qu'il ne voulait pas être tué. Ceux pour qui il fallait toujours un ennemi ou un match de football à jeter au peuple, parce qu'il ne devait pas penser, le peuple. Ceux-là qui n'avaient pas eu le courage de gagner le maquis sous prétexte qu'on n'était pas venu les chercher, qu'ils ne savaient pas... Ceux qui s'étaient engagés dans l'armée algérienne après le dernier coup de feu, parce qu'ils avaient deviné d'où le vent, dorénavant, soufflerait.

C'est pour ces gens-là qu'il était un ennemi, ceux qui n'avaient eu le courage ni de l'imiter ni de le combattre. C'est ceux-là qu'Azzedine vomissait. C'est ceux-là qui le tortureront, s'il revient.

Lui avait été un soldat et il avait perdu. Perdu sa guerre. Guerre à laquelle il ne croyait pas quand il s'était engagé. Il avait vingt-quatre ans. Tous les pièges et guet-apens tendus à l'armée coloniale n'étaient l'œuvre dans son esprit que d'un groupe d'idéalistes facilement muselables.

En cette fin des années cinquante, les mots guerre et indépendance n'existaient pas dans cette campagne. Il était loin d'Alger et des Aurès. Et puis il s'en fichait Azzedine de savoir s'il y aurait guerre ou indépendance, donc s'il finirait gradé ou les couilles dans la bouche. Il ne s'engagea pas contre quelqu'un, il s'engagea contre la terre : le ventre aride de sa terre. Le soleil avait même séché la rivière qui traversait le domaine et tous passaient leur temps à prier que vienne la pluie. Le sol était si dur, si craquelé que même les serpents le fuyaient. On en trouvait sous son lit, attirés par l'ombre et la fraîcheur des chambres. Les champs de légumes ressemblaient à des terrains de boules ! Les arbres donnaient des fruits sans jus, comme une mère allaiteuse aux seins taris. Les animaux étaient emmenés loin, très loin, quand ils n'y allaient pas d'eux-mêmes, vers des rivières encore humides. Et quand, le soir, Azzedine voulait les ramener, les bêtes refusaient de quitter ce peu d'herbe, ces quelques flaques. Alors, Azzedine y allait à grands coups sur le dos des vaches, jusque sur les flancs des veaux, qu'il cognait ! Peine perdue !... Et il dut prendre l'habitude de traire les deux vaches sur place. Son frère Driss venait sur l'âne récupérer le lait. Lui, Azzedine, passait la nuit ici.

Une terre où il n'y avait plus qu'à crever, c'est ce qu'Azzedine se répéta pendant ses trente années d'exil. Et comme il ne lui restait plus que sa vie, il l'avait donnée pour les siens.

Dans le F4 envahi par le silence, Azzedine se souvint du premier jour où il avait mis les pieds à la caserne.

— Quel âge as-tu mon garçon ?

L'adjudant recruteur Lasaosa parlait l'arabe.

— Vingt-quatre ans.

— Parles-tu un peu le français ?

— Non...

— Alors on va t'apprendre. Fous-toi à poil !

Azzedine se déshabilla. L'adjudant le mesura de haut en bas.

— Tourne-toi !

Avant de se tourner Azzedine se mit les mains dans son dos, pour cacher ses fesses : déjà que dans sa campagne on le disait pédé parce qu'il n'engrossait pas sa femme !...

— Ote-moi ces mains ! T'as peur de montrer ton trou du cul ?

Azzedine obéit.

— Bon ça va, le toubib fera le reste, dit Lasaosa.

Azzedine se rhabilla et le chef recruteur le pria de se tenir droit.

— Pourquoi tu t'engages avec nous ?

Azzedine ne s'attendait pas à cette question. Lasaosa l'aida.

— Pour bouffer ? Parce que les fellaghas ont fait assez de mal comme ça ? Pour embrasser une situation noble, et devenir un homme ? Réponds !

— Situation noble, répondit Azzedine qui ne voyait pas trop comment se défiler devant le supérieur.

— Ça, mon garçon, tu l'auras, la situation noble et sûre !

Contre le mur derrière le recruteur il y avait un soldat à moustache dans un cadre. Azzedine ne lui trouva pas de nom. Parmi la paperasse, un flingue gisait sur le bureau avec des balles. Une vieille baïonnette servait de presse-papiers. La femme et les gosses de l'adjudant souriaient dans un autre cadre. Au pied du bureau, un crachoir que Lasaosa repoussa pour atteindre la machine à écrire.

— Les enculés de leur mère, y m'ont pas ravitaillé en papier ! jura le gradé.

Il introduisit une feuille dans la machine. Des bruits de bottes au pas cadencé passaient et repassaient sous la fenêtre et une grande gueule hurlait : « Un, dè, un, dè. » Puis : « Lefur, quand t'auras fini de t'emmêler les crayons, tu me mettras ce front bien haut ! »

Lasaosa regarda vers la fenêtre.

— Tes nom et prénom ?

— Azzedine Ould-Haffouz.

— Ta dachra ?

— Sidi-Aïssa.

Lasaosa reluqua sa nouvelle recrue :

— C'est pour ça que t'es maigrelet ? Il paraît que par chez toi même le vent n'y va plus, tant y a rien à taquiner.

Azzedine hocha la tête timidement sans trop bien comprendre. Lasaosa interrompit la frappe et demanda plein de malice :

— Dis donc, dans ta campagne, t'as jamais vu un fellouze ?

— Non Monsieur !

— ... Mon adjudant !

— Mon adjudant.

— T'as quand même entendu causer de fels par chez toi, fit Lasaosa en se grattant sous le bras.

— Rien, mon adjudant.

— Eh ! bien tu vois, mon gars, tu viens de rater une prime pour ton entrée !

— Je ne sais pas, mon adjudant.

— Ah ! faudrait que t'apprennes à savoir, mon garçon, parce que quand t'auras signé cette feuille, ce sera ton métier, et ça m'étonnerait quand même que là-bas y ait pas un fel à niquer !

Lasaosa rit et continua :

— Tu essaieras de te souvenir ce soir dans ton lit, un vrai lit propre et douillet et une bonne soupe avant. Dorénavant tu vas manquer de rien, tu manqueras plus jamais de quelque chose. La France te prend en charge et te félicite de la rejoindre.

L'adjudant se frotta les mains. Azzedine remercia de la tête. L'autre reprit :

— Et d'ici quelques mois tu sauras lire et écrire, tu passeras ton permis de conduire et t'auras une bonne solde. La France te veut responsable et civilisé, et si ces cons de fellouzes ne font pas trop chier, tes gosses en profiteront aussi.

Azzedine se contentait d'approuver timidement.

— Mon gars, nous sommes là pour préparer cet avenir. L'indépendance, c'est une connerie, tu le sais puisque tu rejoins notre lutte. Ces pouilleux de mes deux ne résisteront pas longtemps. Avec des gars comme toi, sérieux et courageux, nous allons leur tailler le sifflet en moins de deux. Et tu verras que dans quelques années t'en sortiras grandi et gradé. Et tous ceux qui t'auront craché dessus parce que tu es avec nous te remercieront quand ils auront compris que la France doit rester ici pour le bien de tous et de la civilisation. Tu piges, mon gars ?

— Oui mon adjudant ! lâcha Azzedine, dans un innocent garde-à-vous.

— C'est bien, mon petit. Ça prouve que t'es pas con comme un fel !

L'adjudant sourit en recopiant à la machine la carte d'identité d'Azzedine.

— Viens que je te mesure !

L'adjudant se leva et alla vers la règle murale. Sous son uniforme kaki il était pieds nus. Azzedine fit celui qui n'a rien remarqué.

Dans son F4, il se souvenait aussi que cet adjudant, lors de ses descentes au bordel, portait une perruque sur son crâne pauvre. Il se mettait au coin du bar et attendait que l'alcool lui donne du cran puis il mettait son doigt dans la fente d'une pute. Avant, il tournait le dos aux filles comme s'il en avait peur. Ensuite, revigoré, il poussait un cri terrible et tout le bordel s'écriait :

— Y'a Peine-à-jouir qui va sortir son périscope.

Il prenait une fille par les fesses et escaladait les marches vers la chambre.

Quand Lasaosa reparaissait sur le palier, tous les habitués demandaient discrètement le silence car l'adjudant, après avoir mis ses mains sur la rampe de l'escalier pour reprendre son souffle, rotait un grand coup comme un bébé qui vient de prendre la tétée. Ça les faisait rire, les soldats, mais ce qu'ils n'ont jamais compris, c'est la raison pour laquelle l'adjudant avait les yeux pleins de larmes quand il quittait la chambre. Il se replaçait au bar et lançait un triomphant : « Garde-à-vous ! » en portant la main à son front pour saluer. Et c'est là que l'assistance n'en pouvait plus de rire, quand l'adjudant se rendait compte qu'il avait oublié sa perruque dans la chambre. Il remontait fissa.

Lasaosa tapa sur l'épaule nue du futur harki :

— T'es pas gros, mais tu m'as l'air résistant. T'en auras besoin, de ton endurance, pour courser le fellouze. C'est agile, ces bêtes-là et futé ! Ça va par les djebels comme un poisson dans les récifs. Puis c'est courageux, ça veut pas se donner même quand c'est pris. Ils préfèrent se bouffer une grenade que de se faire couper les couilles. Ça rampe dans l'herbe haute et hop ! ça vous surgit dans le dos. Il te faudra apprendre à marcher à reculons, mon gars, puis considérer chacun de tes frères comme un fellagha, compris ?

— Oui chef, dit Azzedine.

A Reims, il ne se souvenait pas s'il avait dit — « Oui chef » ou « oui mon adjudant » — le « oui chef », il n'avait dû se le permettre que beaucoup plus tard.

En le conduisant au dortoir l'adjudant lui dit encore :

— Tu seras consigné trois jours à la caserne le

temps qu'on te présente à tout le monde et que tu apprennes les usages et les obligations de notre mère l'armée... Après, tu auras une soirée de libre. Tu pourras aller baiser et te bourrer la gueule. Tout ce que je veux, c'est que ça ne se voit pas quand tu rentres. Et surtout ne fornique pas avec les filles qui tournent autour de la caserne. Celles-là tu les prends debout et elles te laissent avec la chtouille. Elles ne se lavent pas entre deux coups, z'ont pas de flotte. Va au bordel et demande Zaïna, c'est la plus féroce ; les Françaises qu'il y a, elles savent même pas sucer.

Le dortoir était gris. Les paillasses marron en lits superposés dans cette immense carrée ; sur les murs, quelques photos d'Arabes recherchés. Ça sentait le Crézyl. Azzedine, avec son paquetage, fut mis avec les nouvelles recrues. Trois Arabes, Boussetta, Chaouch, Naïm et un Espagnol, Perez. Ils prêtèrent serment, main droite levée face au drapeau tricolore, et s'alignèrent au pas cadencé sous les ordres de la grande gueule, Forbach, qu'il s'appelait, un de l'Est qui avait échoué dans l'Oranais parce qu'il avait ses beaux-frères aux fesses. Entre deux bières belges, il avait dû cogner sa femme un peu trop fort. Un soir qu'elle rentrait de la fabrique où elle étiquetait des boîtes de conserve, Forbach l'avait surprise dans la salle de bains ôtant ses porte-jarretelles.

— C'est pour qui que tu te mets ces trucs de pute ?

— Pour toi, dit-elle en tremblant.

— C'est au bout de cinq ans de mariage que tu penses à moi ? Raconte pas de salades : si c'était pour moi, pourquoi que tu les retirerais, hein, salope ?

Il cogna. Un peu, qu'il avait dit. Trop fort, avait dit Lasaosa, du bureau de recrutement. Mais ils l'ont gardé quand même. Forbach faisait peur, même quand il ne disait rien. Il était petit et rond avec des joues vinassées, l'air toujours en rogne et des yeux bien enfoncés sous le front, jamais fatigué de chercher, le Forbach, toujours sur le qui-vive. Telle une fouine. Après le pas de course, le tableau noir. Azzedine apprit à lire le français. D'abord il fallait, puis le soldat instituteur, un jeune appelé aux lunettes rondes, lui avait dit :

— Applique-toi mon vieux, t'en auras besoin un jour !

Dans Reims qui peu à peu s'endormait, Azzedine savait maintenant ce que l'instituteur voulait dire. Il se demandait ce qu'était devenu ce jeune maître envoyé au bled malgré lui. Et les autres ? Perez, qui se disait plus français qu'un Durand ? Les Français, l'Espagnol les insultait parce qu'ils ne prenaient pas les armes pour défendre ce pays qu'ils prétendaient être le leur. Valait mieux pas lui en causer, de la communauté française, il la gerbait.

— Si c'est vraiment leur terre, z'ont qu'à prendre le fusil pour la défendre. Ils pleurnichent c'est tout ce qu'ils savent faire. Ils laissent la bagarre à l'armée. Mais moi l'Algérie c'est mon bled et je la défends pour y rester !

Et plus tard, comme ça ne lui paraissait pas cogner assez dans la région, il avait même demandé à être muté dans les Aurès : « Parce que là-bas, il y a de la bique à traire jusqu'à la dernière goutte de sang ! » Autour de lui, les harkis désapprouvaient. Surtout « bique ».

— Je vous emmerde tous, hurla-t-il au milieu du réfectoire, et il grimpa sur une table.

Alors des ordres arrivèrent du mess, comme quoi le nommé Perez devait être mis au trou. Ce qui ne l'empêcha pas de continuer :

— C'est Franco qu'il faut ici, pas celui de mes deux, le de Gaulle ! glapit-il en soufflant sur la mèche noire qui lui bouchait la vue.

Puis il se répandit en jurons espagnols contre les deux gus de service qui l'avaient pris au colbaque.

— La prochaine fois qu'il dit bique, je le nique, dit Chaouch en repoussant sa gamelle.

S'il n'avait eu peur du trou, Chaouch aussi aurait bien envoyé valser la sienne mais Boussetta et Azzedine le calmèrent. Naïm, il ne disait rien. Faut dire qu'il parlait peu. C'était un tout jeune, à peine vingt ans, au masque terne, indifférent à tout ce qui se passait ou se disait autour de lui, comme s'il n'avait qu'une idée en tête et attendait de la vivre. La nuit, il ne dormait guère. Pieds nus il faisait les cent pas dans le dortoir, grillant cigarette sur cigarette. De temps en temps ses jambes arquées stoppaient. De sa paillasse, Azzedine l'observait, intrigué. Naïm, mains dans le dos et le nez à la fenêtre, attendait l'aube : le moment de partir en mission. Il avait une tache chocolat sur le front, juste au-dessus de la paupière gauche, sous une tignasse drue et noire. Il était courbé, avec des épaules maigres. Son uniforme ondulait autour de lui, parce que trop large. Pour faire plus viril, il s'était laissé pousser la moustache dès son incorporation. A son arrivée il avait dit : « Ils ont tué mon père... », si bien que Lasaosa ne lui avait même pas fait passer la visite médicale. « ... et je veux le venger », avait-il confié à Azzedine, d'une voix plate, sans colère, par une nuit qui s'annonçait blanche. « Ils » : les Fellouzes. S'ils le lui avaient tué, c'est parce que son vieux leur avait dit non. C'était à Medenine. Ils voulaient qu'il traverse tout le village, jusqu'à un bistrot français, avec une charrette bourrée d'explosifs sous le foin. Eux s'occuperaient d'allumer la mèche.

— Et moi ? Qui s'occupera de ma famille si on me prend ?

— T'as peur ? Alors envoie-nous ton fils ! avaient répondu les moudjahidines.

Le vieux n'en avait parlé qu'à sa femme. Un soir, son maigre troupeau de chèvres était rentré seul. Son corps fut retrouvé le nez dans une ancienne source desséchée. Naïm lui avait enlevé son turban et le lui avait noué autour du cou pour cacher l'entaille rouge. Ensuite il l'avait rapporté sur ses épaules et, le vendredi suivant, à la mosquée, avant la prière du soir, il s'était adressé aux fidèles à la place de l'imam :

— Nos frères moudjahidines ont tué mon père parce que ce qu'ils lui avaient demandé lui paraissait trop dangereux. Ils n'ont eu aucune indulgence pour lui. Leur chef, vous le savez tous, est Bachir-Tani. C'est lui qui les commande dans notre région, et parmi vous il y en a qui combattent avec lui. Alors quand vous le reverrez, dites-lui bien à Bachir-Tani que maintenant il compte un ennemi de plus : un basané au crâne frisé, comme lui !

Aux séances de tir Naïm se montra très vite le plus adroit et pas un dans la caserne ne lui tenait tête à la course à pied. A chaque ronde de son groupe, il était le premier à sauter du camion, en éclaireur, vers une ferme abandonnée ou une ombre sur un rocher. Souvent Masson, son chef, lui reprochait son zèle et le rappelait à l'ordre.

Quant à Boussetta (en Arabe : celui qui en a six... des doigts, tout simplement parce que son grand-père en avait six à chaque main), il n'aimait ni le tir ni la course à pied et, dès qu'il fallait sortir de la caserne, fusil sur l'épaule, il ruminait des combines pour se la couler douce. Il était venu de loin, de Guelma, pour s'engager dans cette armée qui n'était pour lui ni un refuge, ni l'espèce de tremplin social comme on lui avait fait miroiter. C'était un boulot comme les autres avec une solde à la clef. Il vaquait un peu comme un ouvrier saisonnier, mais ce qu'il préférait c'était son lit. Il ne fallait pas lui parler d'aller au bordel, même pas de picoler. Il disait dans un garde-à-vous de traviole :

— Mon adjudant, tu me gardes mes sous pour les économies : moi je ne fume même pas.

Jamais une thune en poche, quand il allait en ville avec les copains. Très grand de naissance, il gardait l'habitude de marcher les genoux pliés, pour être à la hauteur des petits. Et il ne pouvait pas faire six pas sans se retourner, craignant toujours dans son dos une hache de fellagha. A plus de trente ans, il était de loin le plus vieux de toutes les recrues. Orphelin, il avait été recueilli par un barbu empagné qui se disait Musulman et extrêmement bon. Ce qui fait que Boussetta, dès qu'il fut capable de tirer un fagot de bois, n'avait plus eu une minute à lui. En plus de l'eau qu'il lui fallait aller puiser deux fois par jour très loin du village, il devait s'occuper des chèvres, bêcher ce qui restait de vie dans le jardin, faucher, cuisiner, laver et prendre des baffes des fils du barbu qui n'en glandaient pas une. Bref, le bon à tout faire! Celui qu'on n'aime pas comme il disait et qui supporte : vingt-cinq ans, il avait patienté dans cette famille, jouant à l'enfant du même sang, espérant vaguement que ses parents lui dénicheraient une femme et le marieraient. Ainsi vit-il partir tous ses demi-frères et demi-sœurs vers un nouveau foyer, soit sur un cheval de cérémonie, soit à pied, et lui restait en rade. A la dernière casée, Hnina, celle qui le surnommait « le chameau sans bosse » parce qu'il ne répondait ni aux insultes, ni aux coups, il piqua la grosse colère et alla voir son beau-père. Il le trouva à l'ombre du mur de chaume, grattant d'une main sa barbe et caressant de l'autre les perles noires et fines de son chapelet. Le chibani méditait.

L'arrivée de Boussetta le surprit. Car d'habitude le garçon n'osait pas lui adresser directement la parole : il passait par sa belle-mère.

— Marie-moi, ô Si Halim, supplia Boussetta.

— Fous-moi le camp ! fit Si Halim, sans daigner lever les yeux.

— Tu as promis à l'Imam de la mosquée que tu t'occuperais de moi comme de tes fils, lui rappela le garçon, mains jointes sur la poitrine.

— Tu n'as pas honte de me déranger pendant la méditation ! Allez, allez ! Passe-moi ma canne et fissa, que je te brise les os du dos !

Pour la première fois, « le chameau » ne baisa pas la main de son maître.

— Tu attends, répliqua-t-il, que j'ai torché toute la marmaille pour me chasser ? C'est bien ça, hein ? Je sais que tu prépares ton pèlerinage à la bien-aimée Mecque, pour te faire pardonner tes péchés. Alors vaut mieux que tu sois conscient de ça !

Et il cracha par terre, Boussetta.

Le vieux en perdit son chapelet. Il récupéra sa canne. Mais pour frapper son esclave, il lui aurait fallu de sacrées jambes !

— J'ai déjà le cheveu blanc et il veut me corriger comme un gamin ! ruminait Boussetta en trissant sur ses pieds plats vers la colline qui dominait le village. Quand il fut là-haut, il mit ses mains en porte-voix et hurla :

— Je vais m'engager... Rien que pour moi !

Depuis il mettait sa solde de côté, toujours dans la même idée : se marier.

A tous ses camarades, il se proposait comme beau-frère, mais aucun n'avait de sœur à marier. Et Azzedine lui dit :

— Qui nous prouve que tu n'es pas un mou ? On ne te voit jamais au bordel !

— Mais toi non plus, tu ne vas pas aux putes !

— Moi j'ai une femme et je vais la voir une fois la semaine.

— Tu veux quand même pas que je me branle au milieu de la cour pour te prouver que je mérite une épouse !

Il s'énervait, Boussetta, et le dortoir riait.

— J'ai eu un gosse, tu sais ! confia-t-il un autre soir, car c'était toujours à l'extinction des feux qu'elle lui revenait sa Tofla ; avec une fille qu'avait échappé au massacre de Guelma en mai 45, si t'as entendu parler ?

— Non.

— Mon vieux, je ne sais pas ce qui lui a pris à l'armée française, ce jour-là. Ses soldats se sont mis à tirer sur tout ce qui portait le burnous. Maisons incendiées, femmes violées, hommes pendus ou fusillés et jetés dans les gorges de Kherata. Le vrai massacre. Même leur flotte, du large, y est allée de ses canons sur tous les hameaux, le moindre gourbi... Vingt mille morts, ça a fait, et toi t'es pas au courant ?

— Ben, non, fit Azzedine, d'une campagne à l'autre on ne savait jamais grand-chose.

— Tofla est de là-bas, dit Boussetta. Elle a vu mourir ses parents. Ils l'avaient cachée sous une bassine en entendant les Français enfoncer la porte de la cour. Elle a vu mourir son père d'une balle à bout portant et sa mère sous les soldats. Tu te rends compte du choc à son âge ? Elle se bouchait les oreilles et pour pas crier, tu sais ce qu'elle a trouvé ? Elle s'était mise à chanter !

« Le chameau sans bosse » s'allongea sur sa paillasse et fixa le plafond. Il ferma les yeux.

— Depuis, elle chante tout le temps, la Tofla, et elle n'entend plus rien. Tu peux y causer, elle te répond pas. J'ai essayé moi de lui dire les plus belles choses que je pouvais imaginer, je les ai encore là.

Il montrait son ventre.

Tofla avait été recueillie par une vieille aveugle dont elle s'occupait. Pour vivre, elle passait ses journées au bord de la rivière à laver le linge de tout le douar, mais il y en avait beaucoup qui ne la payaient pas.

— Moi, se souvint Boussetta, j'étais en face, sur l'autre rive, avec le linge de ma famille adoptive. Je n'osais pas lui parler, je la laissais chanter. Elle fredonnait des mots d'une autre région, donc je ne comprenais pas. Elle avait des épaules rondes et douces et une poitrine je ne te dis que ça !... Elle était accroupie, la robe aux genoux et t'aurais dit que son sexe me narguait. Il était beau comme un bébé au chaud. Tout rose. Je savais que les autres hommes en profitaient, de la Tofla ; sa vieille aveugle passait son temps à la faire avorter. Moi, je ne voulais que le toucher son sexe, juste y poser les doigts. C'est le seul cul de femme que j'aie vu de ma vie mais il n'y en aura pas de plus beau, j'en suis sûr.

Boussetta rouvrit les yeux comme pour mieux le revoir, ce sexe.

— Un jour elle m'a surpris l'œil dessus. Elle a éclaté de rire et elle s'est mise à jouer avec mon émoi. Tantôt elle serrait les genoux, tantôt elle les écartait et moi je n'osais plus lever la tête. Puis, un soir qu'elle avait fini son essorage avant moi, elle m'a attendu sous le pont d'El-Djorf. Elle dansait pieds nus sur les pierres de la rivière. Elle tenait à deux mains sa robe levée jusqu'au nombril. J'ai attaché l'âne à un peuplier et j'ai attendu qu'elle m'appelle. Elle a regagné la rive puis elle m'a fait signe d'approcher et elle m'a allongé sur l'herbe et s'est assise sur moi ! Même pendant l'amour elle a chanté, les yeux fermés, un petit sourire au coin des lèvres, comme dans un rêve. A la fin, si elle ne chantait plus, c'est qu'elle s'était endormie sur moi. Alors quand elle a été enceinte, je savais que ça ne pouvait être que de moi. Je le lui ai demandé, mais elle a ri. Rire, c'est tout ce qu'elle savait faire quand elle ne chantait pas. Bien sûr, sa vieille a voulu la faire avorter mais moi, je suis allé à la mosquée supplier l'Imam Si Abdelmajid d'empêcher ça : « Si Abdelmajid, je lui ai dit, elle a pas le droit, c'est mon fils ! » Tu sais ce qu'il m'a répondu ? « C'est toi qui le dis que c'est ton fils ! Vous êtes une tapée de lapins sur cette pauvre fille ! Elle n'a pas le temps de s'essuyer qu'un autre la salit, et toi tu oses venir réclamer ton " bien " ! Mais suppose que le gosse vous ressemble à tous les deux, tu parles d'un cadeau ! Elle est siphonnée et toi tu es con ! »

Boussetta s'assit sur sa paillasse, outré.

— Alors comprends-moi Azzedine, pour pas lui manquer de respect, à l'Imam, j'ai mieux aimé quitter la mosquée sans rien dire. Il était tellement grand que même assis il paraissait de la taille d'un jeune garçon debout.

A l'exercice, pour le pas cadencé, ses mains frôlaient ses genoux. Même Forbach n'arrivait pas à le redresser. Il l'avait surnommé « l'équerre ». Enfin bref, Boussetta avait fini par admettre que la Tofla appartenait à tous. Il l'avait évitée, même pour le plaisir, tout en continuant de rêver aux beaux mariés qu'ils auraient faits tous les deux, avec un peu plus de chance.

— Ah ! Si l'Imam avait voulu, n'est-ce pas Azzedine ?

Azzedine ne pouvait plus répondre, il dormait. Alors Boussetta tira la couverture sur son nez et ferma les yeux, les jambes nues jusqu'aux genoux.

A la fenêtre, Naïm broyait du Bachir-Tani. C'était la nuit et le silence. Les allées de la caserne récupéraient des exercices de la journée. Puis le chien de garde aboya, tout fier d'annoncer que Chaouch, retour du bordel, avait enfin franchi le mur d'enceinte. Ce harki-là, très bas du cul, peinait toujours à se faire la façade. Trop petit pour un si haut obstacle, il prenait appui sur des tas de pierres qu'il se ménageait d'avance au pied du mur. Chaouch maudit le chien de garde et se faufila dans les allées. Il ne marchait jamais; il allait toujours au pas de course. Sinon, il ne serait jamais arrivé à suivre l'allure des autres, sur ses petites pattes. Ce qui fait qu'il suait énormément.

— Elles m'aiment, les salopes. Toutes ! glissa-t-il à Naïm toujours à la fenêtre.

Naïm ne répondit pas. Il se contenta de sourire, l'air de dire : « Il n'y a quand même pas que ça dans la vie ! »

Chaouch se glissa en rigolant sous la couverture.

En plus du bordel, ce petit rond se targuait d'avoir une demi-douzaine de maîtresses à servir, Arabes et autres aux quatre coins de la ville.

— Faut voir comment elles m'aiment ! C'est le drapeau qui fait ça, j'en suis sûr. Je le porte si bien, hein, les gars ? se vantait-il chaque fois que l'escadron partait en patrouille.

Autour, les gars l'écoutaient parce qu'il les faisait rire le temps d'oublier les fels. S'il en était fier, le Chaouch, de sa fonction de porte-drapeau !

Au défilé du dimanche matin quand la compagnie, précédée de la fanfare, fendait les larges artères de la ville, s'il crânait, tout seul, devant, nez au vent, les yeux rivés sur la trompe de l'oriflamme, là-haut, tout là-haut !

— Ecoute, je veux bien que tu lui souries, au drapeau, mais pas comme un con ! l'engueulait Forbach au retour.

C'est vrai que dans ces moments-là, avec son air idiot, on aurait dit qu'il l'avait inventée l'idée du drapeau et qu'on le lui devait. Un artiste qui avait enfin trouvé sa voie ! Ce qu'il ignorait Chaouch, c'est que si ses supérieurs l'avaient propulsé à ce poste, c'était pour appâter quelques-uns des miséreux qui assistaient à la parade. Et lui faisait en effet une sacrée réclame. Repu, blanchi, rosé, ciré, il était parfait dans le rôle d'un qui a vaincu la misère.

— Ça marche ce job auprès des femmes, gloussait Chaouch à l'arrière du 4 × 4 hoquetant sur les bosses du djebel. Le dimanche, faut voir comment elles me zyeutent, les salopes, derrière leur haïk !

Sans oublier tout à fait le fel toujours à l'affût, Azzedine et les autres, l'arme prête, le laissaient continuer :

— C'est pas tant le drapeau, c'est mon zob qu'elles voient ! Gros ! Enorme que je tiens, ah, ah, ah !

Il s'en tapait les cuisses, et on se marrait bien, malgré Masson qui, devant, dans sa jeep promettait le trou à ce soldat Chaouch qui ne voulait jamais « fermer sa gueule et guetter le fel ». Insouciant et crâneur, Chaouch expliquait :

— Vous comprenez maintenant, bande de cons, pourquoi quand on est en virée dans les villages, les haïks se soulèvent discrètement pour me faire de l'œil ! Et même les femmes de roumis, elles veulent le voir mon drapeau !

Parti là-dessus, il ne connaissait plus de bornes.

— Y en a même une, au poil roux comme les cheveux du maïs, qui n'en revenait pas, en ouvrant ma braguette, de ne pas y trouver un fanion aussi !... Alors figurez-vous qu'elle s'en est fabriqué un ! Un petit fanion bleu, blanc, rouge qu'à chaque fois, elle m'accroche au bout. Et qu'elle salue au garde-à-vous !

Une fois, les rires s'étaient arrêtés là.

Dressé dans la seconde jeep, Naïm hurlait, montrant l'horizon :

— Quelqu'un, j'ai vu quelqu'un bouger, là !

Silence. Tous écarquillèrent les yeux vers l'endroit indiqué, puis Masson dit à Naïm :

— C'est rien qu'une coquetterie de tes yeux à la con ! Allez on file !

Honteux et surtout déçu, Naïm se rassit sous les regards mauvais des copains.

Chaouch dit :

— Celui-là, avec son Bachir-Tani il nous les gonfle, il a failli nous foutre la trouille.

L'escadron reprit la poussière et Chaouch continua :

— La plus féroce de toutes mes maîtresses, c'est une Arabe. Celle-là, si je lui donnais l'adresse de ses concurrentes, je suis sûr qu'elle les tue. Quant à son trouduc de mari qui m'a surpris au plume avec elle, je l'ai menacé de le donner comme fellouze, s'il portait le pet. Ça l'a calmé, puis je lui ai balancé : « T'es pas fellouze, t'es pas harki, alors t'es qu'une merde ! » Il a fermé sa gueule.

Sur quoi Chaouch se renfrogna et joua au dur :

— Y en a marre ! Finie la rigolade, je te les ferai suer à mort, tant que je serai encore en kaki !

Ce qui ne l'empêchait pas, au bordel et fin saoul, de hurler :

— Ils l'auront leur indépendance, demain ou dans dix ans, alors de quoi ils se plaignent ?

A ce mot banni, indépendance, même les plus en rut mollissaient et les filles s'arrêtaient au milieu de l'escalier. La peur. Surtout les putes arabes. Celles-là, les fels leur promettaient une ouverture du vagin jusqu'au nombril, c'était écrit sur la porte du claque. Elles oubliaient dans la bière.

Birra, birra ! Chaouch commandait les canettes par trois et les sifflait comme une. Indépendance : il était le seul qui osait prononcer ce mot et à chaque fois c'était le silence. Lourd ! Un peu comme si, tout à coup, les hommes arrêtaient de se mentir sur le sort de cette terre qui ne leur appartenait déjà plus. Et les putes essayaient bien de leur relever le moral, mais même à l'œil, ils refusaient le coup. Alors Chaouch, content d'avoir visé juste, offrait une tournée générale. Il aimait provoquer la troupe. Comme ça, se disait-il, ils seront encore plus vaches avec la population.

Pourquoi tant de haine chez Chaouch ? Azzedine se le demandait. Il n'aimait guère partager une corvée avec lui, tant le porte-drapeau se montrait violent avec les Arabes, hommes ou femmes. Les femmes il les obligeait à soulever leur voile pour bien tâter dessous. Pour la fouille, qu'il disait.

— Sous le haïk, y'a pas que des chattes, il peut y avoir une valise, un flingue...

Toute la ville rêvait de le voir se balancer au bout d'une corde, le Chaouch. Et il le savait.

« Chaouch le peuple aura ta peau. »

L'inscription fleurissait sur le mur du stade où les soldats s'entraînaient.

— Papiers ! hurlait-il à chaque basané rencontré.

Les fellahs, apeurés, il leur allongeait une baffe ou un coup de crosse de fusil.

— Tu ne comprends pas le français ? Je t'ai dit « tes papiers » !

Parce qu'il leur causait en français pour mieux les traiter de cons et d'enculés. Quand il patrouillait de nuit avec ses copains, par les rues sombres et étroites du village, des cris fusaient des toits :

— Chaouch tu es déjà mort !

— Qu'à la libération Dieu m'accorde le privilège de m'occuper de toi, ô ignoble Chaouch !

— Sortez, si vous êtes des hommes ! hurlait Chaouch à ses insulteurs invisibles en leur montrant son poing et ses couilles. Il en oubliait même de marcher au pas. Il courait de maison en maison, injuriant et menaçant les portes fermées, leur balançant des grands coups de godasse.

Ses yeux se gonflaient de colère, à en péter. Au début son chef essayait de le calmer. En vain ; alors il le menaçait :

— Si tu ne fermes pas ta gueule, c'est pas au pieu que tu iras en rentrant c'est directement au trou ! qu'il le prévenait, Masson.

« Chaouch tu es déjà mort », reprenait la nuit,

et ce murmure prenait une ampleur terrible quand s'y ajoutaient les pleurs des enfants, les youyous des femmes.

Des pierres et des boîtes de conserve tombées du ciel sur la patrouille, et les huit gars activaient le pas, serraient les rangs, guettant tout ce qui pouvait bouger là-haut, devant, derrière. Seul Azzedine arrivait à persuader Chaouch de rentrer dans la file. Mais alors, le village reprenait d'une même voix, d'un même rythme, les hommes se tapant sur la poitrine et les femmes sur les cuisses : « Chaouch, tu as peur ! Chaouch, on ne t'entend plus ! »

Et Chaouch jetait sur son chef un regard suppliant, l'air de dire :

— Chef, je peux leur en jeter encore une ? Chef : une dernière grosse insulte ?

A chaque fois, Masson le sommait de se tenir peinard et Chaouch était bien forcé de remiser sa colère jusqu'à la caserne mais chacun des sept autres se jurait de ne plus jamais aller en patrouille avec lui. En quelques mois, sous l'uniforme français, le petit gars Chaouch était devenu l'horrible du village. Comme pour confirmer sa réputation, il se laissa pousser la moustache et se rasa le crâne.

« Je me souviens du jour où, avec sa boule à zéro, je ne reconnus pas le Chaouch d'avant, le Chaouch à la longue tignasse ondulée. J'étais sur le pont qui conduit au village et je pissais dans l'oued. Le porte-drapeau avait été placé sur l'autre rive, avec mission de surveiller ce pont. Quand il m'aperçut, il me cria :

— Petit branleur, tire-toi de ce putain de pont à la con avant que les fels nous le fassent péter à la gueule.

J'avais sept ans. J'ai couru, de l'urine dégoulinant sur mes cuisses. Il faut dire que Chaouch avait un cri à faire fuir un chef starter.

Autre souvenir. La veille, nous allions, ma mère et moi, porter notre pain au four municipal. Comme les prix en boulangerie étaient devenus inabordables, ma mère pétrissait elle-même les galettes comme la plupart des villageois, parce que ça coûtait moins cher, et les donnait à cuire au four commun. Les galettes, elle les avait dans un plateau sur sa tête coiffée du voile, et nous approchions de ce même pont qui commandait l'entrée du village. Depuis quelque temps, l'armée française nous encerclait la ville, et il y avait sur le pont pour contrôler les passages un soldat qui se curait le nez, plus Chaouch.

— Stop ! nous fit le harki Chaouch en nous barrant la route.

Nous eûmes peur, car sa réputation était déjà faite ici, et loin autour.

— Où allez-vous, enfants de putes ?

— Porter le pain au four, dit timidement ma mère.

— Montre un peu ta figure ! hurla Chaouch.

Elle laissa les deux pans de son voile s'écarter et, les yeux baissés, elle livra son visage au harki. Il ne dit rien. Il me regarda longuement et je me souviens qu'il lui restait, ce con, quelque chose d'humain dans le regard. Je ne sais quoi de tendre, d'infiniment petit qui voulait briller au coin de son œil et que lui, Chaouch, essayait d'étouffer, d'effacer, en fronçant bien fort ses sourcils. On aurait dit qu'il le planquait son point faible. J'ai même cru qu'il allait me sourire. Tu parles ! Il bouscula ma mère et lui prit le plateau des mains, qu'il balança dans la rivière. Il nous fixa, comme si c'était plus fort que lui d'être ignoble. Il se frottait les mains comme après un boulot vite fait, bien fait. Ma mère crut qu'il allait nous foutre dans la flotte aussi. Elle se mit à hurler en reculant. Je lui tenais le haïk et la suivais.

Chaouch redoubla d'insultes quand il nous vit dévaler le talus qui borde la rivière pour récupérer le plateau et ce qui pouvait rester des trois galettes qui devaient nous nourrir au moins deux jours.

Et on ne mangeait que ça ! »

— Pourquoi es-tu méchant comme ça ? finit par lui demander Azzedine.

— Je suis méchant, moi ? s'indigna Chaouch qui sortait de la douche. Je fais mon boulot, et on me paie pour ça.

Il passa la serviette sur son crâne nu :

— Qui te dit que ma mère ne m'a pas fait sans le vouloir ? demanda-t-il, grave.

— Comment ça ? fit Azzedine.

Mais pas de réponse. Chaouch partit astiquer la pointe dorée de son drapeau.

La plupart des sorties de patrouille ne donnaient rien ; même quand, alertée par un mouchard, la troupe surgissait à l'improviste. Elle pouvait passer au crible dachra, douar, hameau, elle n'y trouvait jamais âme rebelle qui vive. Pourtant les lettres anonymes affluaient à la caserne, dénonçant à tout va. On signalait du fel partout mais chaque fois que l'armée se déplaçait, bastonnait l'entourage, saccageait les boutiques, elle en était pour ses frais. Les véhicules vert-de-gris regagnaient le djebel.

Une fois, pour ne pas rentrer bredouille à la caserne, Masson à l'avant du 4×4, suivi des deux jeeps, bifurqua par Ben-Essedik, une dachra souvent signalée comme repaire de maquisards. C'était un après-midi de juin et les nouvelles recrues, Azzedine, Boussetta, Chaouch, Naïm, ne sortaient en mission éloignée que depuis peu.

Assis à l'arrière du 4 × 4, ils écarquillaient les yeux, craignant l'embuscade. Azzedine peut-être plus que les autres, car cette région d'Essedik était toute proche de son hameau : chaque berger croisé en chemin le reconnaissait.

Son unité comprenait une vingtaine d'hommes et pour un raid sur Ben-Essedik, en ruine, ils étaient bien assez. Comme à l'accoutumée, ils laissèrent leur véhicule, bruyant et qui soulevait trop de poussière, assez loin de la dachra dans l'espoir qu'une approche discrète leur permettrait de surprendre quelque moudjahid imprudent. La troupe encercla le pâté de gourbis. Les chiens n'aboyèrent pas. Pour la bonne raison qu'il n'y en avait plus. Ils avaient tous été tirés comme des lièvres lors des précédentes perquisitions. Dès que la dachra avait été soupçonnée de donner asile à la résistance, les Français avaient ordonné à l'ancien du village d'éloigner ses chiens, ou de les supprimer. Le vieux les avait bien emmenés chez un de ses fils à dix kilomètres de là mais ils étaient revenus à leur niche plus vite que lui à sa dachra. Alors, dès qu'un camion ou un uniforme kaki violait l'horizon, les clebs aboyaient, et le fellouze en visite dans sa famille avait tout le temps de s'enfuir. Aussi l'armée avait-elle préféré éliminer les chiens, l'un après l'autre. Cet après-midi-là les soldats, après avoir investi chaque recoin, eurent le pot de mettre la main sur un moudjahid connu de leurs services. Ce fel, un maquisard, un vrai, était venu se purger le moral entre les cuisses de son épouse. Il avait encore le froc sur les mollets et le cul à l'air quand le soldat Lanson, aidé de Chaouch, le tira par les cheveux jusqu'au milieu de la cour où Perez eut le temps de le rouer de coups de crosse avant que Masson n'intervînt, freinant son élan meurtrier.

— Enculé de zamel ! postillonnait Perez, ivre de rage, sur la figure du prisonnier.

L'épouse, à moitié nue, s'agrippait telle une pieuvre à son fel de mari. Elle l'avait couvert de son corps pour le préserver des coups. Elle arrachait ses cheveux teints au henné. Ses cris éveillèrent la campagne en sursaut.

— Elle en veut encore, la Fatima ! ricana un soldat, regardez comme elle s'y accroche aux couilles de son mec !

Et tous rirent. Sauf Azzedine, qui se planquait à l'arrière, mal à l'aise. Les paysans accoururent de toutes parts, les femmes imploraient Allah en finissant de glisser sous le foulard leurs cheveux dérangés par la sieste.

Lorsque le 4×4 eut pénétré dans la cour, Masson ordonna qu'on y jetât le fel, mais l'épouse ne l'entendait pas ainsi. Elle tenait à son homme comme on s'accroche à la vie. Elle griffait quiconque approchait, sachant que si elle le lâchait, son fel, elle ne le reverrait plus de sa vie. A grands coups de godasse dans le dos, un soldat parvint à remettre le moudjahid en position assise. Et alors, terrible, vint ce qui sera le tournant de la vie d'Azzedine. Le lieutenant Masson le désigna pour écarter l'épouse du mari. Il reçut l'ordre comme une gifle. Il quitta son rang, tout à l'arrière et avança d'un pas chancelant vers le couple, sentant se poser sur lui les regards des collègues, mais surtout des paysans : il les connaissait tous ! Il empoigna maladroitement la femme par les épaules, essayant de la tirer à lui.

— Non ! supplia-t-elle.

Gauche, désemparé, suant, Azzedine tira plus fort sur les épaules, mais elle se tourna vers lui, pour le prier :

— Khouïa ! Mon frère, Allah te donnera la paix et l'abondance, laisse mon mari ! Tu auras la protection et Djena [1] de notre Dieu.

Ses larmes se mêlaient à sa salive. Elle se

1. Paradis.

cacha contre la poitrine de son mari, encore K.-O., à force de coups. Azzedine la reprit par la taille et la souleva. Elle le repoussa si violemment qu'il faillit tomber. Ses camarades, comme au spectacle, se fichèrent de lui. C'est Chaouch qui riait le plus fort. Et le lieutenant ironisa :

— Une Fatma, en plus! Celui-là il faudra l'envoyer dans les Aurès ça lui fera les crocs!

Enervé, rouge de honte, Azzedine ne trouva rien de mieux, pour faire taire la femme, que de tirer sur sa longue et épaisse crinière, mais elle l'implorait de plus belle, sans lâcher son homme.

Pour en finir, il lui assena deux coups de pied dans les reins. Asphyxiée par la douleur, elle tomba sur le flanc. Deux appelés purent enfin emporter le fel jusqu'au 4 × 4. Alors les paysans, d'un même pas, avancèrent sur Azzedine. Ce que voyant, Masson sortit son pistolet et tira une balle en l'air. Les Arabes reculèrent. Le lieutenant leur montra Azzedine :

— Celui-là, il est avec nous, dit-il. Et il a raison. L'Histoire le confirmera.

Remonté dans le camion, Azzedine se cacha les yeux sous le casque. Les paysans ne regardaient que lui.

Le moudjahid fut mis en cellule, et tout de suite identifié comme étant Antar, l'adjoint de Bachir-Tani.

C'est Moncef, un ancien engagé, tout ridé, qui l'avait reconnu : « Je l'ai fait sauter sur mes genoux quand il était tout gosse, cet enfoiré! »

La caserne pouvait être fière de sa prise, le haut commandement apprécia :

— Celui-là va nous en livrer d'autres.

Masson fit appel à des volontaires pour questionner le prisonnier, car nombre de soldats répugnaient à ce genre d'exercice, surtout chez les jeunes appelés. Du groupe d'Azzedine trois levèrent le poing : Perez, Naïm et Chaouch. Le lieutenant n'en garda que deux, renvoyant Naïm au champ de tir.

— Mais mon lieutenant, moi je le ferai parler, Antar, parole !

Il fulminait, Naïm.

— Soldat, j'ai dit au champ de tir et plus vite que ça ! tonna Masson.

Mais, toujours au garde-à-vous, au milieu de la cour, Naïm n'en démordait pas :

— Antar était avec ceux qui ont tué mon père, mon lieutenant, c'est à moi de le faire parler.

Il avait ses nerfs, ne pensait qu'à sa vengeance et, ça, Masson le voyait. Il savait très bien que Naïm aurait refroidi Antar avant de lui poser une seule question. De nouveau, il lui cria :

— Au champ de tir !... à droite, droite ! En avant arche ! Une, dé, une, dé...

Au milieu de la nuit, alors que la caserne croyait enfin pouvoir goûter au calme et à la fraîcheur revenus, les plaintes d'Antar n'en finissaient pas. Perez et Chaouch faisaient fort.

— Merde, qu'on le finisse, le crouille ! hurla quelqu'un à une fenêtre. Laissez-nous roupiller !

Il aurait fallu être sourd, cette nuit-là, pour trouver le sommeil. De la chambre de torture montaient les cris secs et stridents que les coups arrachaient à Antar. Entre-temps, c'était par saccades lentes et rauques qu'il suppliait qu'on l'achève. Cela dura jusqu'à ce que Perez et Chaouch rentrent, annonçant fièrement :

— On a fait du bon boulot, chef ! On l'a bien amoché, mais il ne mourra pas, parole !

— Ce qui est con, chef, ajouta Chaouch, c'est qu'il ne veut ni boire ni manger, l'enfoiré ! Faut bien qu'il garde la force pour causer.

— Mais il parlera, je vous le garantis, chef. Parole ! certifia Perez.

— Bande d'abrutis, s'il crève sans causer, vous entendrez parler de moi ! les prévint Masson.

Perez et Chaouch n'obtinrent aucune confidence du moudjahid, même en se privant de soupe, pour profiter de l'aubaine de casser du fel. A la bière qu'ils se remontaient !

Rebelle de haut rang, responsable de toute une région, Antar n'avait même pas eu le privilège de visiter une cellule. A peine arrivé à la caserne, il s'était retrouvé au « confessionnal », l'ancienne cave aménagée en chambre de torture. Perez et Chaouch se retroussaient déjà les manches, assistés de Moncef, le vieil harki édenté. Il y avait aussi une machine à écrire sur une table mais aucun des trois ne savait taper. Le plus beau : au début Chaouch croyait que c'était un instrument de torture.

— Bon ! dit calmement Moncef au prisonnier, je t'ai reconnu, Aïssa, et toi, tu te souviens de moi, n'est-ce pas ? Voilà déjà une bonne chose de faite, ouikha ? Tu te fais appeler Antar ? D'accord, d'accord ! Mais puisque nous sommes entre gens bien éduqués, tu vas nous dire où on peut trouver Bachir-Tani. C'est tout, après on se quittera bons amis.

Moncef se frotta les mains : facile et pas compliqué ! Antar était à genoux et les mains liées derrière le dos. Il leva la tête vers le harki de la première heure. Celui-ci lui sourit et lui proposa une cigarette.

— Tebri garo ?

Moncef alluma lui-même la cigarette et la présenta aux lèvres d'Antar. Le moudjahid tira une bouffée qu'il évacua par le nez. Il reprit son souffle et cracha la cigarette à la figure du harki. Moncef, calmement, considéra la cigarette tombée au sol puis l'écrasa sous son talon. Il souffla sur la trace de cendre laissée sur sa chemise et décroisa les bras. Sans un regard pour Antar, il dit d'un air blasé, désabusé :

— Perez, tu peux commencer.

D'un coup de pied dans le ventre, Perez fit coucher Antar. Après quoi, Chaouch et lui cognèrent dessus toute la soirée. Le Moudjahid s'évanouit plusieurs fois. Entre deux de ces absences, il répondait aux questions par un :

— Ichtiqlal, ichtiqlal...

— Qu'est-ce qu'il baragouine, l'enculé ? hurlait Perez.

— Istiqlal, traduisait Chaouch, mais comme on lui a cassé des dents, il dit ich au lieu de is. Istiqlal, en arabe, c'est indépendance.

Par deux fois il fallut vider la baignoire de son eau rougie par le sang du fel. Et lorsque, avec la mâchoire électrique, il pinçait les couilles d'Antar et que celui-ci tremblait de tous ses membres sur le sol sale et humide, comme s'il avait un marteau piqueur dans le ventre, Chaouch le fixait bouche bée, essayant d'imaginer l'effet que ce truc-là peut vous faire à l'intérieur. Parfois il se penchait sur Antar et lui tâtait le poignet, comme on prend le pouls, pour sentir si, sous le choc électrique, le fel chauffait ou pas.

— Coupe ! ordonna Perez, et Chaouch débrancha l'appareil. Hein, Antar, que ça fait du bien quand ça s'arrête ? Mais ça ne tient qu'à toi, mon petit vieux ! Dis-nous seulement où on peut choper Bachir-Tani et on te lâche la grappe, parole !

— Ich, ich... lal. I...

— Ah ! Prends-le, toi, sinon moi je me le tue tout de suite ! soupira Perez en tendant le fer à Chaouch.

A l'aube Antar vivait encore, et Naïm qui avait passé toute la nuit à la fenêtre, maudit les deux tortionnaires de n'avoir rien pu lui arracher.

— T'en fais pas, il causera ce matin, lui assura Perez. Et on va choper Bachir-Tani rien que pour toi tout seul.

Azzedine non plus n'avait pas fermé l'œil. A chaque plainte d'Antar ce sont les cris de la femme qui lui résonnaient dans la tête. Il la voyait, meurtrie, se serrer contre lui, le suppliant :

— Khouïa, laisse-moi ! laisse-moi mon mari et que Dieu te bénisse !

Lui, il l'aurait bien laissé, le fel, mais il y avait les autres et Masson, et l'armée, et la guerre...

Il revoyait aussi les paysans lorsqu'ils avaient avancé vers lui, le poing levé. Ils allaient désormais maudire son hameau, montrer sa mère du doigt et cracher sur chaque membre de sa famille qu'ils croiseraient sur la route. Il finit par enfouir sa tête dans ses mains pour ne plus entendre les cris qui montaient du « confessionnal ». Mais aussi comme s'il voulait vider sa mémoire. Il était au point de non-retour. Pour la première fois depuis son incorporation, Azzedine se rendit compte qu'il était pris dans un piège, et que, même si l'Algérie demeurait française, il resterait à jamais un oppresseur. Il s'était enrôlé comme on embauche à l'usine, pour la solde à la fin du mois, il savait désormais qu'il lui faudrait lutter pour sa survie. Et ce, quoi qu'il arrive Même si les Français gagnaient, lui ne serait pas en paix pour autant. « Istiqlal » devint sa hantise. Le drapeau vert et blanc à croissant et étoile rouges n'arrêtait plus de flotter dans son esprit. Et c'est la mort qui flottait au vent avec ses trois couleurs. Comme dans tous les films de série B, quand le personnage craint, il sua et ses yeux s'agrandirent. Comme dans ces films, il voulut fuir mais le spectateur sait bien que le personnage est cuit, que seul un élément extérieur peut le tirer de son angoisse : une sonnerie de téléphone, un figurant qui passe...

Toujours à la fenêtre, Naïm craqua une allumette. Le bruit fit se retourner Azzedine et il vit le jeune homme allumer encore une cigarette. Comme dans les séries B, cette présence le rassura. Maintenant Azzedine se sentait sans choix, dans la peau d'un autre. D'un autre qui n'avait plus qu'à exécuter les pires ordres et abattre les plus sales besognes pour se préserver, pour ne pas mourir. Il sut qu'il allait devenir répugnant, une ordure. Il le fallait. Et il comprit l'ignoble Chaouch.

Ne disait-on pas du fameux Chaouch qu'il était rentré un jour encadré, avec Forbach et le soldat Lanson, de la police militaire, tous trois accusés d'avoir violé une petite Arabe ? Lanson, un blond long et fin, coiffé en brosse, qui marchait au pas, même fin saoul, même au bordel, avait prétendu que tout était la faute de l'instructeur Forbach et qu'eux, Chaouch et lui, n'avaient fait que suivre leur supérieur, craignant qu'il ne les punît au retour. Voilà ce qui s'était passé :

— Je ne vous baiserai pas, putes ! avait crié Forbach ce soir-là aux filles du bordel. Salopes !

Il les insultait au garde-à-vous, ivre mort et rouge de colère. Et il faut dire que quand il était en rogne, personne n'osait lever les yeux. Les soldats se cachaient la tête dans les seins des putes.

— Ce soir, j'ai pas envie de perdre mon nœud dans des trous trop larges ! Mon zob réclame un peu de fraîcheur sur les bords !

Il rota un bon coup et fit signe à Lanson et à Chaouch de venir avec lui.

— Mais, Chef... J'ai pas encore baisé ! On va pas rentrer déjà ? s'affola Chaouch.

— Et moi, j'suis même pas saoul ! renchérit Lanson.

— Toi, tu conduis et tu te tais ! répliqua Forbach, les yeux pleins d'eau. Quant à la baise, j'ai ce qu'il nous faut.

Lors d'une récente patrouille en campagne, Forbach avait repéré une adolescente arabe, grande, plus grande que lui, en train de remplir ses cruches à une source au bord de l'oued.

— Elle a des jambes qui m'arrivent là ! (Forbach montrait son épaule) et des cheveux qui lui tombent jusqu'aux fesses. Presque toute nue, je l'ai vue, quand elle a commencé à se laver dans l'oued, mais merde ! elle a entendu les moteurs et elle s'est vite couverte. C'est Masson qu'a pas voulu, sinon on se la niquait sur place.

Le ciel était rouge. Conduite par Lanson, la jeep roula, tous feux éteints, pendant une bonne demi-heure.

— La gamine est de ce douar où on a eu tant de mal à tuer le chien. Tu te souviens, Lanson ? demanda Forbach.

— Non, chef... J'y étais pas ! répondit Lanson, pas très rassuré de l'escapade.

— Il était vieux, il était aveugle et avec trois balles dans le cul, il courait encore dans les champs ! Il a fini par se planquer dans un trou qu'il devait connaître. Alors, avec Prunier, du 4e, on l'a éclaté à la grenade, pour plus qu'il l'ouvre.

Forbach eut un rire nerveux.

Arrivé au hameau du chien aveugle, la jeep fit un dérapage contrôlé au milieu d'une basse-cour qui partit à tire-d'aile vers l'écurie. Forbach sauta à terre et sortit son flingue. Ne sachant à quoi s'en tenir avec un énergumène pareil, Chaouch et Lanson restèrent à leur place. Ce qui mit le Forbach hors de lui.

— Imbéciles ! Encadrez-moi et fissa !

Les deux s'exécutèrent tandis que quelques habitants apeurés commençaient à sortir de chez eux, un à un. Il y eut d'abord le père, qui émergea de la remise en ajustant son turban. Il avait un long visage creux, brûlé par la canicule. Son bras gauche était pansé avec du tissu de couleur et il avançait en caressant cette blessure.

Il avait une quarantaine d'années et les yeux doux.

— Salam alékoum ! dit-il, pas tranquille face à Forbach déjà très agité.

Sa femme apparut dans la cour, en refermant prudemment la porte derrière elle. C'était une femme forte qui releva son châle sur sa tête en voyant qu'il y avait un Arabe : Chaouch. Elle avait les mains brillantes comme si elle venait de rouler de la semoule beurrée. Puis une vieille avança, courte et sèche comme une plante qui manque de pluie. Derrière la mère, un des fils, un adolescent, avait dans les mains une vieille peau de chèvre effilochée aux pattes, qu'il fit semblant de secouer. Alors Forbach sortit le grand jeu, connu sur le bout du nœud par tous les Français en rut et qu'ils pratiquaient si souvent avec des familles isolées et sans défense, dans des gourbis perdus au fin fond du djebel. Il commença par demander le nom du fellouze qui venait régulièrement se ravitailler au hameau. Chaouch traduisait.

— Nous n'avons jamais reçu de fellaghas ici, dis-lui. Khouïa ! fit le père.

— Mon cul ! hurla Forbach en se retournant vers Chaouch, il me prend pour un con, celui-là ? Dis-y que nous savons tout ce qui se trame par ici grâce à nos agents.

Bien sûr qu'il n'en savait rien Forbach. Il voulait juste la fille cachée derrière une porte mais pour le principe il jouait de son uniforme.

— Nous sommes sûrs que vous donnez à becter aux fels, reprit-il, ça, nous en sommes sûrs.

Le fellah nia encore une fois.

— Eh bien, c'est ce qu'on va voir ! dit Forbach.

Puis il ordonna à Chaouch :

— Va à l'étable compter les chèvres et toi, Lanson, fais-moi sortir toutes ces gueules qui nous épient derrière les portes.

Lanson entra dans le gourbi et en revint avec l'adolescente, qui tenait son jeune frère par la main. A la vue de la fille, Forbach oublia sa colère et baissa son flingue. On aurait dit qu'il venait de voir apparaître une sainte. Ses yeux devinrent bons et il faillit sourire à la jeune fille et à tout le monde, comme s'il était venu demander sa main.

Il dit à Masson :

— Quand on les aura au cul avec leur drapeau de merde, je ne regretterai qu'une chose des Arabes, leurs gonzesses.

— Six, chef, six qu'il y en a des chèvres ! cria Chaouch, revenant au pas de course.

Alors Forbach reprit son jeu et sa colère. Il alla considérer le père, nez à nez, gonflant le torse pour l'impressionner :

— Tu oses me dire que le fel n'est pas venu alors qu'il manque une chèvre ! Tu me prends pour un « hmar[1] », ou quoi ?

1. Hmar : âne.

— Setta ! dit le père à Chaouch, il n'y en a toujours eu que six des chèvres !

Il se tapa sur les hanches pour mieux montrer qu'il ne comprenait rien à cette mascarade.

— Pas vrai, connard ! cria Forbach en effleurant le nez du fellah avec son pistolet, à notre dernière patrouille y en avait sept et c'est moi qui les avais comptées ! Où est passée la septième ?

Le père jura sur Dieu qu'il avait dit la vérité et supplia, par l'intermédiaire de Chaouch, les soldats de le croire.

— Veux rien savoir, fit Forbach qui tournait en rond. Manque une chèvre, où est-elle ?

Silencieusement la mère s'approcha et se courba devant Chaouch :

— O mon frère, dis à ton chef qu'il s'est trompé. Il n'y a pas de fellaghas qui sont venus ici.

Gêné, Chaouch ne sut que répondre. Montrant Forbach du menton il répondit :

— C'est lui qui commande.

Et celui qui commandait exigea qu'on lui remît l'adolescente, on l'interrogerait à la caserne puisque tous refusaient de collaborer.

La mère se mit à genoux pour implorer Forbach. Il se défila et ordonna à Lanson d'installer la gosse dans la jeep. Le père se proposa à la place de sa fille. Son fils aussi, mais l'instructeur les repoussa à coups de coude.

— Les hommes, des têtes de lard, ils causeront pas ! fit Forbach en se dirigeant déjà vers la jeep.

Alors, la grand-mère qui jusque-là était restée muette avança vers le véhicule et murmura à l'oreille de Chaouch :

— Ya oulidi, enta Hamou ould Chaouch ? Mon fils, tu es Hamou ould Chaouch, je me souviens de toi quand, tout petit, tu nous servais le thé à la fête de Sidi-Moussa, et même que ta maman te grondait parce que tu en renversais la moitié en route.

Elle lui prit le bras et le serra. Le soldat Chaouch était devenu livide.

— Hamou, je compte sur toi, fils, pour me ramener ma petite-fille saine et sauve.

La vieille posa sa main gercée sur celle, velue, du harki. Très ému, et sachant ce qu'il allait advenir de l'adolescente, Chaouch s'esquiva n'osant fixer la vieille. La jeep disparut dans la nuit. Les soldats abusèrent de la fille sous le pont qui menait au domaine de Blanchard, un gros colon. D'abord Forbach, ensuite Lanson. Comme Chaouch hésitait à prendre son tour, l'instructeur lui rappela :

— A partir de ce soir, aux yeux des gens de ce bled pourri tu es grillé. Alors baise, si on te pend pour ça, au moins tu l'auras fait.

Chaouch descendit sous le pont, où l'adolescente gisait sur le dos. Elle ne pleurait plus et ses cris si forts avec le premier, Forbach, avaient cessé. Meurtrie, elle se laissait même faire. On aurait dit qu'elle dormait. Chaouch déboutonna sa braguette. Forbach et Lanson l'attendaient dans la jeep. Ils riaient. Ils fumaient. Le blond en brosse tremblait dans son rire. Il avait peur de ce qu'il était, de ce qu'il avait commis. Pour activer Chaouch, Forbach fit démarrer la jeep. En l'entendant rouler sur le pont, le harki proféra un juron et apparut sur le parapet, en remontant son froc. Dans la jeep, ses deux complices s'en tenaient les côtes. Ils regagnèrent le bordel.

L'adolescente violée rentra chez elle et s'effondra comme une pleureuse au milieu de la cour. Mais là ce n'était pas du chiqué : elle voulut se tuer. Sa famille la ficela et l'enferma. Le père courut à la police militaire du village. La mère se griffa le visage jusqu'au sang. Pieds nus, elle s'en alla battre la campagne, de hameau en douar, lançant d'une voix déchirée :

— Ils ont déshonoré ma fille ! Ils ont sali et condamné ma Mourjane ! Personne ne voudra plus jamais de ma fille... La plus belle, mon Dieu !

Parfois elle se jetait au sol et mordait dans la poussière, dans la vie qui ne fait pas que des cadeaux.

Elle réveilla toute la région et même quelques femmes l'accompagnaient dans sa course folle, pleurant avec elle.

— Hamou ould Chaouch d'El Kantara était avec eux.

Il n'y eut plus de nuit au village. Le désespoir de la mère fit allumer toutes les bougies.

— Chaouch a condamné ma fille, gémissait-elle en déchirant sa robe.

Dans les rues étroites de la médina, les paysans attendaient la mère, la soutenaient quand elle vacillait d'épuisement, puis la remettaient sur le chemin tortueux. Massées sur les bords, les femmes reprenaient, en pleurs :

— Chaouch ! Celui d'El Kantara ! Ils viennent tous les ans à la fête de Sidi-Moussa...

Quand elle en eut fini d'ancrer dans les mémoires le nom de Chaouch et des siens, la mère s'écroula à la porte de la mosquée. Et tous, autour d'elle, accusaient la fatalité. Sa fille était trop belle, cela devait arriver.

Le père refusa d'entrer au bordel.

— Alors, comment on va les reconnaître ceux que tu accuses d'avoir abusé de ta fille ? demanda le chef de la police militaire de Medenine.

— Je vous les ai décrits. S'ils sont là, vous les trouverez, mais moi je n'y mettrai pas les pieds, Dieu m'en garde !

La police militaire — quatre hommes —

poussa la porte du bordel. A l'intérieur, les compagnons reprenaient les « trois cloches » avec Edith et les soldats, pleins de bière, chantaient en chœur. Ce n'est pas cinq minutes qu'il attendit, le père, comme le lui avait dit le chef de la police, mais jusqu'au soleil. Il eut largement le temps de s'éloigner du bordel pour faire, sans ablutions, la prière du fadjr : l'aube. Il n'aurait pas pu dire le nombre de soldats qu'il avait vu sortir, et vomir, avant que la police ne réapparût enfin avec Forbach, Lanson et Chaouch. Et des aussi saouls, il n'avait jamais vu ! Il ne savait qui, des militaires ou des flics, soutenaient qui ! Ils ne virent même pas le père qui attendait à côté de la jeep. Ivre, lui, de tant d'injustice, il se jeta sur Forbach, le prit à la gorge et le poussa violemment contre un mur.

— Que Dieu me pardonne ! pria-t-il, et il serra tout ce qu'il put le cou de Forbach.

Dieu lui pardonna sûrement car il n'eut pas le temps d'étrangler l'instructeur. Les autres, flics et militaires réunis, lui sautèrent sur le burnous et le rouèrent de coups. C'est de ce jour que Chaouch devint carrément odieux. Il savait que la région n'oublierait jamais sa faute à lui : l'enfant du pays. Tous dans les villages crachaient sur ses pas. Alors, il préféra sa peau à la leur. Et quand, par miracle, un vague remords lui venait, il n'en cognait que plus fort ses frères de sang.

Antar mourut sous la torture. Avant de rendre le dernier souffle il tira des plaintes à Perez, qui ne savait plus où le piquer pour le faire encore souffrir un peu. En fait, c'est tout le corps du moudjahid qui était devenu insensible aux coups. Et il ne pouvait même plus dire « Istiqlal ». Il ne faisait plus que murmurer. Antar est mort de toutes les couleurs. Il y avait du vert, du gris, du rouge, du jaune et du bleu sur son cadavre nu, étendu au sol, l'air de dormir comme les bébés qu'on photographie avant la naissance dans le ventre de leur mère. Il s'est éteint les mains sur les couilles. On l'a enterré, enroulé dans une couverture marron marquée A.F., avec un autre cadavre, derrière la dune du champ de tir. L'autre cadavre, un môme, un berger qui, au milieu de ses moutons, prit peur en voyant arriver sur lui du fond du désert la patrouille motorisée. Laissant ses bêtes, sa flûte et sa canne, il fila. Mais il faisait trop chaud et le courage de suer après une « bique » en haillons manqua aux militaires. Et comme « il y a une chance sur deux que ce soit un fellouze ou un complice », Masson estima qu'il fallait tirer. Une balle suffit et le chef dit :

— S'il a plus de treize ans, celui-là, je me les coupe !

Du haut de la dune, poussés par les bottes, les deux corps roulèrent jusqu'au fossé dans les creux d'un ru sec où ils furent ensevelis sous quelques pelletées de terre rouge.

Ensuite, les soldats croque-morts regagnèrent la caserne sans émoi. Souvent, prévenus de l'existence d'un charnier, les fels venaient de nuit déterrer leurs morts pour leur offrir une sépulture plus noble. Puis ils tiraient de longues rafales vers les étoiles. Chaque rafale saluait un mort, et même les enfants, la tête sous les couvertures, comptaient sur leurs doigts.

61. C'était déjà 61.

Les nouvelles recrues n'étaient déjà plus si nouvelles lorsque Azzedine, Boussetta, Chaouch et les autres découvrirent que des escarmouches d'Antar était née la guerre. Une guerre qui approchait des villages. Ce n'était plus à coups de pierres et de boîtes de conserve que la population accueillait désormais une patrouille de nuit, c'était avec des fusils et des pistolets. Les rebelles plus organisés armèrent le fellah, qui redoubla de zèle jusqu'à approcher les casernes d'assez près pour balancer une grenade par-dessus le mur, puis se perdre dans la nuit. Les rondes de soldats en campagne goûtaient toutes au guet-apens laissant chaque jour des morts sur le terrain, abandonnés aux fels de plus en plus menaçants. En un rien de temps, la poste du village, le commissariat, le petit ciné qui donnait un western américain en noir et blanc, le bistrot français volèrent sous les bombes. Seul le bordel fut épargné. Celui-là, ils se le gardaient pour la fin, les fellaghas, pour s'occuper tranquillement de toutes ces putes arabes qui s'envoyaient en l'air avec du blanc. Les harkis ne doutaient plus de ce qui les attendait, la moitié de la caserne n'attendait que l'ordre de baisser le fusil. Chaque harki maintenant savait avoir atteint le point de non-retour, et il devenait enragé comme Chaouch, ou se sentait monstrueux comme Azzedine, devant l'inéluctable défaite. Sa guerre n'était plus que jeu avec la mort, règlement de comptes avec le fel. Avant de mourir ou de partir pour la France, on aurait dit que tous se croyaient tenus d'inscrire sur leurs carnets le maximum de cadavres ennemis pour partir avec un minimum de regrets.

Bon gré, mal gré, ils étaient en première ligne pour toutes embuscades, arrestations, tortures et Masson joua de ce désespoir pour tenter une dernière fois, mais en vain, de terroriser la région. Ainsi passèrent pour Azzedine, engagé depuis trois ans déjà, de longs mois pendant lesquels sa garnison de Medenine lutta comme elle put contre des moudjahidines de plus en plus nombreux, de mieux en mieux armés. Il y avait ceux qui, comme Perez, Forbach et les harkis, se jetaient à corps perdu dans le djebel pour ne pas être en reste avec le passé, mais aussi les jeunes appelés qui ne rêvaient que de retourner en France et refusaient de tirer sur le fellah. Perez les traitait de gauchistes et Forbach les menaçait :

— Les pédés ! que je vais m'en enculer un sous la douche !

62. Tout s'arrêta pour la bande à Masson. La caserne attendait l'ordre d'évacuation. Pendant que les civils s'entretenaient à Evian, ou ailleurs, plus une patrouille ne s'aventurait dans le djebel. Aux fenêtres du village apparaissaient les premiers drapeaux algériens et les enfants avaient depuis belle lurette refusé l'école française qui prétendait encore leur faire chanter *la Marseillaise.* La nuit, l'hymne national algérien était repris de maison en gourbi, de dachra en hameau, pendant que, là-haut, Masson et ses hommes patientaient entre quatre murs.

— Nous avons fait notre boulot, dit Masson, le lendemain d'une de ces nuits. Je suis fier de vous, et sachez que plus tard vous n'aurez pas à rougir de votre comportement au bled. Vous vous êtes conduits en hommes, en soldats. Vous êtes allés au bout de vos forces, de votre courage et des moyens qui étaient mis à votre disposition pour mener à bien votre tâche. Le gouvernement et la moitié de la France nous ont laissé tomber et pourtant jamais vous ne vous êtes découragés, donc vous avez le droit d'être fiers. Nous sommes une petite garnison qui a subi beaucoup de pertes, jamais remplacées, qui a résisté aux fels...

— Et qui a baisé leurs femmes ! hurla Perez sorti du rang et le poing en l'air.

Aucun des autres ne broncha. Perez les invectiva :

— Ben quoi ! C'est pas vrai qu'on a baisé et bousillé tout ce qu'on a pu ? Alors pas de regrets !

— Perez tu la boucles quand je cause ! lui lança Masson.

— Y a plus de chef, chef ! reprit crânement l'Espagnol, mais il finit par s'excuser, malgré tout respectueux.

Masson conclut :

— Nous allons quitter ce pays, mais la tête haute !

Il claqua des bottes et le buste bien raide, fit signe à « la trompette » d'entamer la sonnerie aux morts. La garnison était au cimetière. Elle venait d'enterrer son dernier disparu. Moncef le vieil harki, celui qui avait reconnu Antar. L'avant-veille il avait pris Perez à part, et lui avait dit :

— Tue-moi ! A mon âge, qu'est-ce que tu veux que j'aille foutre en France, j'y connais personne.

— Te tuer ! Mais fais-le toi-même, mon vieux !

— Tu sais bien que j'ai jamais rien su faire tout seul, avait répondu le vieil harki.

Alors Perez lui avait tiré une balle dans la nuque et le front du harki s'écrasa contre le mur en crépi.

— C'est lui qui me l'a demandé, avait-il dit à Masson.

Ils étaient maintenant sous le drapeau qui battait au vent. Ce qui restait de la fanfare reprit avec « la trompette » et c'est Azzedine qui leva les couleurs tout doucement vers le sommet du mât, comme lui avait appris Chaouch, l'homme drapeau.

Durant toute cette année, Azzedine ne visita que deux fois sa famille et toujours accompagné d'un autre harki, Naïm. Les Arabes engagés étaient plus visés par la population, et Masson ne leur accordait de permission que lorsqu'ils pouvaient partir à deux.

La première perme de Azzedine fut pour la circoncision de son petit neveu Hafid, fils de son frère Aïssa. La mère avait fait égorger cinq poules pour relever le tagine et invita les voisins. Ils vinrent pour la prière du soir et bénirent le circoncis. Quelques-uns saluèrent Azzedine sans trop s'attarder sur son uniforme. Ceux-là regardaient le harki comme un homme mort. Ils ne lui en voulaient pas sachant que d'autres se chargeraient de lui régler son compte. Ils se taisaient quand Azzedine passait près d'eux, d'autres pariaient plutôt qu'Azzedine arriverait à fuir en

France. Belle occasion, ajoutaient-ils, d'abandonner sa femme Meriem : elle ne lui avait pas donné d'enfant.

Meriem, pour laquelle il était venu ce soir-là, Meriem à qui il laissa la moitié de ses économies de soldes, l'autre allant à sa mère. De cette solde qui avait fait vivre la maisonnée durant ces trois ans de caserne. L'année précédente, comme les puits s'asséchaient, il avait fait installer une pompe sur une ancienne source pour aspirer encore un peu d'eau, dont tout le douar profita. Et fit dire :

— Ah ! C'est dommage, un garçon si bon !

Les vieux prétendaient même que s'il vivait encore c'est que les fels lui accordaient un sursis en raison de cette pompe qu'il avait offerte aux siens. Mais tous se rappelaient l'épisode de Ben-Essedik et la capture d'Antar, dont toute la région célébrait le martyre. D'autres racontaient que ceux de Ben-Essedik avaient obtenu de la résistance le privilège de se venger eux-mêmes d'Azzedine, au moment qu'ils choisiraient.

— Mon fils tu n'as pas tué ?

— Non, mère, répondit Azzedine.

Il répondait le dos tourné, car dans les yeux de sa mère il n'aurait pas pu mentir.

— C'est la guerre, avoua-t-il à Meriem, seuls dans leur chambre.

Meriem couvrit son corps nu et se serra contre son mari.

— C'est eux ou nous, dit-il, voilà pourquoi j'ai

tué. J'ai tiré sur des ombres et quand la poussière est tombée, les ombres étaient toujours là, mais couchées. J'ai torturé aussi, pour savoir où nous attendaient ceux qui voulaient notre mort, je leur ai fait peur pour pouvoir dormir en paix.

Meriem souffla la bougie et posa sa tête sur le torse d'Azzedine. Quoi qu'il eût fait, commis, il était son mari. Elle n'oublierait jamais que c'était pour nourrir les siens qu'il s'était engagé.

La dernière fois qu'Azzedine vit son douar, ce fut pour l'enterrement de son frère Aïssa. Celui qui, avec son cadet Driss, avait fui la terre pour aller faire des affaires en ville.

Quelles affaires? Du haschich qu'ils ramenaient du Maroc pour l'échanger à Tlemcen. Contre une misère. En fait, ils en usaient plus qu'ils n'en vendaient, et c'est titubants, la paupière enflée que, de temps à autre, ils rentraient au bercail avec un sac de victuailles sur le dos.

— Que faites-vous en ville, dites-moi? les interrogeait la mère, hors d'elle.

— Des affaires, répondaient les deux zigotos.

Leurs épouses refusaient de passer au lit avec eux. « Parce qu'ils ne viennent que pour ça! » se plaignaient-elles à la belle-mère. Et l'une demanda le divorce. Les derniers mois, les deux frangins s'étaient évanouis dans le haschich et la contrebande, la vieille entretenant brus et gosses sur la solde d'Azzedine. Et cela dura jusqu'au jour où, à la frontière marocaine, un douanier ajusta une balle entre les omoplates d'Aïssa.

Ayant moins fumé, Driss avait pu se mettre à l'abri et il attendit la nuit pour rapporter le cadavre de son frère au village. Et l'Imam dit à Azzedine :

— Selon la tradition tu te dois d'épouser la veuve de ton frère. Tu l'épouseras, et ses enfants seront désormais les tiens.

Azzedine embrassa la main de l'Imam et rentra vite à la caserne. Il ne donna jamais de réponse.

Boussetta riait :

— Monsieur Azzedine a deux femmes, une qui ne pond pas et l'autre qui lui a donné trois gosses sans qu'il y touche ! Merveilleux non ? Et moi qui me tue à me trouver une épouse, voyez le destin !

Entre deux grands rires nerveux, Boussetta répétait la nouvelle dans les allées de la caserne. Les soldats se marraient aussi, mais moins d'Azzedine que de Boussetta, consigné à vie, le malheureux !

A la dernière embuscade des fels dans le djebel, la peur l'avait pris tout d'un coup et il s'était tiré ventre à terre. En rentrant à la caserne, la patrouille l'avait retrouvé assis au milieu de la route, énumérant sa liste de mariages possibles : sans prêter attention aux insultes de Masson, il ne se préoccupait que du prix de la robe de mariée, répétant : « Ah les femmes ! Ah les femmes ! » De ce jour, il fut décidé de le garder à la caserne, c'est que, sorti de l'armée, il n'avait personne. Et l'on ne voyait personne non plus qui en aurait voulu.

— Si ! avait dit Masson, les fels ! Alors on va le coincer ici, même s'il ne sert plus à rien.

La caserne avait le moral en dessous de zéro. Perez passait son temps à crier et à cracher sur les jeunes appelés.

— Heureusement qu'il nous reste les frères arabes ! Eux, au moins, ils en ont ! hurlait-il.

Et de féliciter les harkis, encore prêts à vendre chèrement leur peau. Ces soldats français c'était sa honte, à Perez, de voir à quel point ils n'en voulaient plus ! Des loques ! Un soir au bordel, il y eut même un gars de Martigues pour éclater en sanglots quand il eut entendu une pute lui proposer tout ce qu'il voulait et à l'œil : elles n'avaient plus que les soldats, les filles. Elles ne voyaient plus que la troupe pour les sauver. Alors comment elles s'occupaient à la réconforter, à la galvaniser !

Plus que les militaires, elles craignaient la défaite !

— Mais merde, pleurait le type de Martigues, quand est-ce qu'on va se barrer de ce bled de merde ?

Au claque, il n'y avait plus de compagnons, ni d'Edith, ni de rires. Restaient juste la fumée qui montait au plafond et le son rauque de la bière tiède quand on la verse dans le verre. La maison, gardée par les soldats (ordre de Masson : il fallait bien protéger le seul endroit où le militaire allait sans rouspéter), se mourait.

— Henri ! pov' Henri ! mon pote Riton ! se lamentait celui de Martigues.

Où il était, son pote Riton, il ne le savait même pas. Tout ce dont il se souvenait, c'est que quand ils avaient été surpris par les fels à l'entrée d'une dachra abandonnée où leur patrouille avait aperçu de la fumée sortant d'un toit, son ami Riton, un spécialiste en explosifs, était parti en éclaireur, tandis que les autres cernaient le bourg. Puis, il y avait eu le cri terrible de Riton. Alors seulement ses copains avaient foncé dans la dachra, courant comme des fous, inspectant chaque coin, vidant chargeurs au hasard. Mais pas l'ombre d'une riposte. Alors Riton ?

Pour Riton, il avait bien fallu se rendre à l'évidence, et le chef le premier :

— Merde alors ! C'est la première fois que je vois les fels emmener un de nos blessés avec eux ! Allez, on rentre à la maison.

Seulement, aux deux jeeps et au camion, qu'est-ce qu'ils avaient découvert ? les trois chauffeurs criblés de balles, à cause du raffut qu'ils avaient fait eux-mêmes avec leurs rafales, aucun n'avait entendu les cris.

Riton ne fut jamais retrouvé.

— Garçons, à la caserne ! dit le chef, ce soir-là, le soir où le jeune de Martigues avait craqué, en quittant le bordel bien saoul, même que Lanson le soutenait pour l'aider à descendre les marches.

— Fistons, ce soir, c'est la dernière ici, le trajet devient trop dangereux, dites adieu au boxon !

Les putes pleuraient, pas les Françaises, les Arabes. Les Françaises, elles, savaient très bien que leurs deux macs, Anselme et M. le Maudit, baptisé ainsi parce qu'il avait une ressemblance avec Peter Lorre dans le film de Lang, les conduiraient le lendemain à Oran, au bateau. C'est les Arabes qui se déchiraient le visage, s'agrippaient aux soldats comme une Fatma à son fel, surtout aux harkis : « Mon frère tu m'avais promis de m'emmener avec toi ! »

« Pas de gonzesses ! » hurla Masson, mais les filles refusaient de quitter les harkis... Elles leur déchiraient l'uniforme !

Elles en appelaient à Dieu pour qu'ils tiennent leur promesse. L'une d'elles, dans une combinaison de nylon transparente sur son corps nu se coucha même devant les roues d'une jeep, hurlant qu'elle ne bougerait que s'ils l'emmenaient avec eux à la caserne.

— Qui c'est, celle-là ? demanda Masson en colère.

— Houria, dit Azzedine derrière son chef.

— Houria de merde ! cria Forbach rouge de revanche, parce qu'il avait appris que « Houria » en arabe est synonyme d' « Istiqlal », indépendance.

La jeep recula pour l'éviter et, Houria, effondrée, rentra au bordel se cloîtrer avec les autres filles.

— Je ne voudrais pas être à leur place, dit Masson, quand les fels vont leur sauter sur le paletot.

Or ce fut la nuit suivante que des maquisards prirent, autour du bordel, la relève des Français. Les fels se contentèrent de séquestrer, sans y toucher, les filles qui restaient, les Arabes. Les Françaises étaient parties. La prise de la maison close fut saluée par le village comme une première victoire, que chacun, et surtout chacune, commenta à sa façon.

— Si les moudjahidines ne les ont pas tuées de suite, c'est pour nous les montrer nues et rasées, ces salopes qui ont régalé les soldats français ! opinaient les hommes.

— Fini le bon temps, les bijoux, les belles robes ! renchérissaient les femmes. Fini l'argent qu'elles donnaient à leur mère. Même elles, les mères, devraient être punies !

Le sort à réserver aux putes arabes suscitait aussi des commentaires :

— Un coup de couteau de la chatte au nombril, suggérait un jeunot, pour toutes !

— Fallait-il qu'elles aient la chatte en feu pour y recevoir l'ennemi ! Mais nous, on aurait aussi bien fait l'affaire ! raisonnait un autre sur son mulet. Ou alors c'est qu'elles n'ont pu résister à la misère !

— Nous, on y a bien résisté, à la misère ! rappelait un vieux.

D'autres parlaient d'envahir le claque pour zigouiller les cinq filles, laissées pour compte. Ce qu'entendant, le fel qui gardait la porte promit un coup de fusil à quiconque approcherait, ordre de la résistance. Alors tout le monde se dispersa.

Les filles restèrent de longs jours, de longues nuits sans sortir. Le village finit par les oublier. Seul signe de vie : de temps en temps, le soir, quand la fraîcheur revenait, la musique assourdie d'un disque qu'elles se passaient, toujours le même : Piaf et son *Non, je ne regrette rien.* C'est le feu qui eut le dernier mot. Une nuit, le bordel s'écroula en flammes sur les cinq malheureuses.

— Ils les ont brûlées vives ! dit une moitié du village.

— Non, répondit l'autre, c'est sûrement elles qui se sont tuées d'un commun accord.

Les harkis ne sortaient plus de la caserne. Deux inconscients qui s'étaient risqués dans leur douar s'étaient fait lyncher. Maintenant, c'étaient les familles qui venaient prendre des nouvelles à la caserne, et surtout voir avec eux comment préparer l'exil.

Le dernier qui s'aventura seul dans le village fut Chaouch. De nuit, pour contenter ses maîtresses. Il disait :

— La guerre n'est pas finie, ils ont encore peur de moi.

« Ils » les villageois. Azzedine et Perez avaient bien tenté de le retenir.

— Moi, monsieur, je peux pas rester les couilles pleines plus de trois jours ! leur rétorqua-t-il.

Pourtant, une semaine plus tôt, le corps de Zohra, une de ses maîtresses, avait été retrouvé sans vie au pied du mur de la caserne. C'était une veuve, mère de deux enfants, que Chaouch rejoignait la nuit dans sa maisonnette au bord de l'oued. Tout ce que lui inspira la vue de son cadavre fut :

— Ça m'économisera l'argent que je lui donnais pour faire becter ses deux poussins. Mais si les fels se mettent à égorger toutes celles que j'ai baisées, il ne leur restera bientôt plus que leurs mères..

Ce soir-là, Chaouch avait fait le mur, content de lui. Sa seule précaution était d'avoir enfilé un burnous.

— Moi, monsieur, j'en ai ! cria-t-il encore sur le mur, et ce fut la dernière phrase qu'Azzedine entendit de sa bouche.

Le lendemain le planton sonna l'alerte.

Tous les soldats se mirent en position derrière le mur. Du dehors, les villageois qui approchaient ne pouvaient voir que leurs casques et leurs fusils pointés sur eux.

Ils avançaient en rangs silencieux, recueillis, d'un pas lent. De son perchoir Masson cria à ses hommes :

— Pas de conneries les gars, ils ne sont pas armés !

Ils étaient des centaines, les paysans. Tout le village, des hommes, femmes, enfants. Au premier rang du cortège, un homme enturbanné, barbu, en seroual gris et torse nu, guidait un cheval attelé à une charrette. Voyant ça, les soldats baissèrent les fusils et se regardèrent. La charrette s'arrêta devant la porte de la caserne. Alors tous les soldats reconnurent, dessus, Chaouch, criblé de coups de couteau. Ils se levèrent et fixèrent Masson, comme s'ils réclamaient l'ordre de tirer dans le tas. D'un geste du plat de la main Masson ordonna le calme. Près du corps de Chaouch, sur la charrette, il y avait celui d'une jeune fille, presque encore adolescente. Du côté droit, ses cheveux noirs cachaient une plaie qu'elle avait sous le menton, mais le sang avait largement coulé sur sa chemise de nuit bleu ciel. Son père, celui qui guidait la charrette, bascula le corps de Chaouch dans la poussière, puis se pencha sur sa fille et dit, avec des sanglots :

— J'ai tué ma propre fille parce qu'elle a déshonoré son pays avec ce diable d'homme...

Il montra Chaouch à la foule. Chaouch qu'une

mouche avait l'air de vouloir réveiller en lui taquinant le bout du nez.

— ... ce diable d'homme qui nous a humiliés et insultés pendant des années ! qui nous a amené la peur et la haine !

— Ne pleure plus vieil homme ! dit une voix de femme dans la foule. Tu as vengé beaucoup d'entre nous et refermé beaucoup de blessures. Que Dieu te bénisse !

Le père reprit les rênes du cheval et tous s'en retournèrent au village enterrer la jeune fille. Masson ordonna de rentrer la dépouille de Chaouch. Forbach dit à Azzedine :

— On ne pourra pas dire qu'il a souffert, ce con ! Il est mort en tirant son coup.

« La trompette » lança sa dernière sonnerie aux morts, pour Chaouch. On l'enterra derrière la caserne, près d'autres harkis. Azzedine insista auprès des fossoyeurs pour qu'ils lui disposent la tête en direction de La Mecque, et Lanson piqua encore une colère, lorsque les harkis l'empêchèrent d'enfoncer au pied une croix de bois qu'il avait maladroitement bricolée.

— Je t'ai pourtant assez dit que pour nous les Arabes, il ne faut pas de croix ! lui rappela Boussetta.

— C'est que vous êtes des sauvages ! maugréa le blond en brosse. Dans un mois, avec le vent, il n'y aura plus trace de tombe et on lui marchera dessus, à Chaouch.

Le soir même, une Arabe dont on ne pouvait voir le visage sous le haïk se dirigea, à dos d'âne, vers le cimetière. Devant la tombe de Chaouch, l'âne se mit à braire. Sentait-il la présence de son ancien maître ? La femme se débarrassa de son voile et entreprit de déterrer le harki. La sentinelle prévint Masson, qui se fit accompagner d'Azzedine pour pouvoir dialoguer avec la musulmane. Ils s'arrêtèrent devant la femme qui, à genoux, ratissait du creux de ses mains la terre qui avait recouvert le corps de Chaouch.

Quand elle sentit leur présence, elle leur dit, sans que ses mains s'arrêtent :

— C'est mon frère, et je suis venue le chercher.

Sans tristesse dans la voix, mais pas le temps non plus de lever la tête. Elle s'activait à la tâche, comme si d'autres l'attendaient ailleurs et que son temps était compté.

— On va vous aider, dit Masson.

Azzedine alla chercher des pelles, et, avec Boussetta, il eut tôt fait de déterrer Chaouch et de charger le corps sur l'âne. Mais la jeune femme refusa la couverture de l'armée qu'ils lui proposaient.

— Je couvrirai mon frère de mon haïk et je traverserai le village, tête nue, pour bien montrer que je n'ai pas honte de porter le même nom que lui.

Elle fixa Azzedine et se dévoila.

— C'est maquillée et belle qu'ils me verront, dit-elle, toujours aussi calme.

Elle avait accentué le noir de ses yeux en passant ses paupières au khôl, ses gencives et ses lèvres avaient la fraîcheur du souak. Ses cheveux étaient teints au henné.

— Tu es belle et tu es forte ! lui dit timidement, du bout des lèvres, Boussetta le simple.

L'entendit-elle ? Elle ne regardait que le corps de son frère, plié en deux sur le dos de l'âne.

— J'ai toujours su qu'il mourrait jeune. Il n'aimait pas la vie, dit-elle en le recouvrant de son haïk. Notre père ne l'aimait pas ; il a toujours voulu ignorer Chaouch parce qu'il était prématuré, et il soupçonnait notre mère de l'avoir trompé. Voilà comment une vie peut être brisée par l'orgueil.

Elle tira l'âne vers le chemin du village.

— Mon père avait émigré en France en 1935, juste après son mariage, continua-t-elle. Mais il ne revenait en congé que tous les deux ans. En août. Ce qui fait que nous sommes tous nés en mai, sauf le pauvre Chaouch. Il avait déjà la bougeotte : il est arrivé deux mois trop tôt. Alors notre père, paix à son âme, voulut le refuser, et répudier notre mère. Heureusement le conseil des Talebs de la mosquée a fini par le raisonner et il est revenu à la maison.

Boussetta et Azzedine accompagnaient la jeune femme sur le chemin goudronné.

— Mais le doute s'était installé dans son esprit au point que notre mère, elle aussi, se mit à en vouloir à Chaouch. Elle l'accusait de lui avoir fait perdre l'amour de son mari. Elle le traitait plus mal que nous, ses sœurs et frères. Il se sentait comme un intrus. A treize ans, il a préféré voir ailleurs : en ville. Il disait : « Moi je suis tranquille, je laisserai pas de chagrin derrière moi, quand je mourrai. Personne ne sait que j'existe. »

Bien qu'elle eût maintenant les joues noires de khôl, tant elle pleurait, elle tint encore à dire :

— La nouvelle de sa mort n'a pas mis trois heures pour arriver jusque chez nous, sur l'autre versant. D'Aïn-Safia, elle nous a été transmise par le minaret de la mosquée. C'est vous dire si tout le monde était content !... Oh ! que je leur en veux ! A tous, à tous !

Alors Boussetta pleura aussi. Il lui dit :

— Emmène-moi avec toi !

Mais comment aurait-elle compris qu'il était, pauvre simplet, comme un gosse qui parle à sa maman ? Elle s'éloigna avec son âne et Chaouch qui balançait cahin-caha.

Les deux soldats s'en retournèrent à la caserne.

Tout d'un coup, Boussetta s'arrêta net, visité par une idée lumineuse :

— Et moi, pauvre con, qui ne lui ai pas proposé de la marier !

Il voulait lui courir après. Azzedine dut se mettre en quatre pour l'en empêcher.

— Tu crois qu'elle reviendra ?

Sans répondre, Azzedine prit son ami dans ses bras, le serrant très fort.

Désormais, des engagés arabes de la même période, il ne restait qu'eux deux. Mort Chaouch, mais mort aussi, Naïm. Naïm le premier, six mois plus tôt. Sans la satisfaction d'avoir pu venger son père. Pourtant pas faute de s'y être employé ! Ses deux années de soldat, il les avait passées avec cette seule idée en tête : tuer Bachir-Tani. Plus enragé que lui à courser le rebelle, il n'y avait pas. Il était de toutes les patrouilles, de toutes les rafles, de tous les accrochages sur le terrain. Et il finissait le travail à la maison : en cellule. Après l'échec de Perez et Chaouch sur Antar, mort avant qu'ils aient pu le faire parler, il était allé suggérer à Masson de les lui confier à lui, Naïm, les fels ou supposés fels que ses hommes piqueraient désormais ici ou là. Il se vantait d'avoir son idée sur la façon de les faire parler. Et en effet, pas mal de prisonniers parlèrent, sans qu'il ait beaucoup à les frapper. Son secret, à Naïm, c'était de les menacer de représailles sur leur famille.

— Ta femme d'abord, puis si tu l'ouvres pas, c'est ta fille, mon salaud, que je te ramènerai ici, dans la caserne, pour qu'on lui passe dessus un par un, moi et tous mes potes, devant toi.

Alors les autres craquaient. Ils le savaient prêt à tout. Ce qui leur faisait le plus peur en Naïm, c'est qu'il avait un regard de condamné à mort. De toute évidence, il ne ménagerait rien ni personne. A un moudjahid célibataire, sans peur et avare de confidences, c'est sa sœur qu'il amena dans sa cellule :

— Si dans une minute tu ne m'as pas dit où se cache Bachir-Tani, je me la fais sous tes yeux !

Et le prisonnier donna la planque de Bachir-Tani. Seulement il n'en avait pas qu'une, Bachir-Tani, il en changeait tout le temps, et tout ce que l'on trouva à l'endroit indiqué par le moudjahid ce fut quelques boîtes de conserve éventrées et des paquets de cigarettes vides. Mais il arrivait aussi que, sur des renseignements arrachés à un torturé, les militaires surprennent des fels dans leur cachette, et cela donnait des affrontements qui duraient souvent longtemps, avec la population tout autour, qui accourait, qui priait, qui pleurait, qui demandait justice à Dieu, car bien rares étaient ceux qui n'avaient pas un fils parmi les moudjahidines, ou un neveu, ou un cousin. Souvent les enfants jetaient des pierres sur les véhicules français, et il fallait que les militaires tirent en l'air pour écarter les civils. La fusillade ne cessait que lorsque les fels étaient à court de munitions, mais Masson n'approchait pas, sachant d'expérience qu'ils gardaient toujours deux cartouches sur eux, une pour le premier harki qui se pointerait, l'autre pour s'envoyer en l'air. Masson y allait à la grenade, jusqu'à ce que la ferme où ils s'étaient réfugiés eût explosé sur les maquisards. Ensuite, il ordonnait de charger leurs corps sur les camions, devant les femmes qui se mordaient les mains et les hommes qui serraient les dents. Il ne fallait pas laisser de martyrs aux villageois, ils en auraient fait des exemples. Et un cimetière.

Naïm aurait donné n'importe quoi pour reconnaître Bachir-Tani dans l'un de ces cadavres pour lesquels il fallait sans cesse creuser de nouveaux charniers. Mais jamais rien. Au bout de quelque temps, il en vint même à douter de coincer Bachir-Tani dans la région. Il demanda à être muté à l'ouest dans l'Oranais, où il se donnait plus de chances de le trouver. Masson s'y opposa : il n'allait pas lâcher le plus vaillant de ses harkis.

En patrouille, Naïm tournait autour des rochers comme un chien qui cherche un coin pour pisser. On aurait dit qu'il flairait le rebelle, qu'il le suivait à la trace. Il pouvait zigzaguer comme ça très longtemps, jusqu'à se faire rappeler à l'ordre par Masson qui détestait qu'on se disperse. Le lieutenant disait à Azzedine :

— Suis-le, on va le paumer.

Et Azzedine suivait Naïm l'arme au poing, en

couverture. Où il n'était plus d'accord, Naïm, c'est quand Masson donnait le signal du retour à la caserne.

— Mais chef, lui disait-il, c'est une bonne trace que je tiens ! Regarde, chef, les pas, ils vont vers le sud chez les Ouassini. Sûr qu'il y a de la cache par là-bas, chef !

— Y a rien, on y est allé il y a trois jours.

Azzedine prenait le bras de Naïm et lui faisait presser le pas vers la jeep. Mais parfois Naïm refusait carrément et partait seul, les yeux rivés au sol, ramassant des objets rouillés, des cartouches vides ! se faufilant par des sentiers à l'herbe haute, disparaissant dans des grottes au bord des falaises. Ça le hérissait de rentrer bredouille.

Un soir, il vit nettement quelque chose derrière un rocher.

— T'as vu ? demanda-t-il à Azzedine qui continuait de le suivre, à une dizaine de pas.

— Où ?

— Là-haut derrière le rocher.

— Lequel ? Y en a tellement.

— Celui qui dégueule vers le village, avec la base toute noire.

— Y a rien, tu déconnes !

— Je te dis que j'ai vu briller un truc qui pourrait bien être un canon de fusil !

Et il y courut, Naïm, vers la colline en question.

— Reviens, hurla Azzedine, t'es con ou quoi ? Tu vas entendre gueuler le chef !

Mais Naïm entamait déjà l'escalade.

— Où qu'il va c't'andouille ? cria Masson.

— Il écoute rien, chef ! se plaignit Azzedine. Je vais le chercher !

— Non, dit Masson, je te le défends. Quand il en aura marre il reviendra. Moi je vais pisser un coup.

Tous suivaient Naïm du regard, jusqu'à ce qu'il ne soit plus qu'un petit point kaki, tout là-haut, au sommet.

Bite à la main, Masson cria :

— Tu redescends connard !

Naïm répondit par un cri :

— Bachir-Tani !

« Bachir-Tani » fit l'écho, une fois, deux fois...

— Bachir-Tani de mes couilles montre-toi si t'es un homme ! cria encore Naïm, dos à la patrouille.

Si petit qu'il fût devenu tout en haut, on devinait qu'il trépignait, Naïm, les bras écartés, le fusil vers le ciel. Il hurlait à s'étrangler.

— Bachirrr de meeerde, sors si t'en as !

Et, poli, l'écho transmettait à toute la région. Masson s'énervait :

— Lui, il n'est pas prêt de revoir le jour, comment que je vais te le boucler en rentrant !

— Tu descends, petit con ! cria à son tour Forbach.

Naïm se retourna et appela Masson :

— Chef, tu m'entends ? Ils sont là ! Ils nous narguent chef ! Je te dis que c'est Bachir et ses hommes !

Et, excité, il se mit à rire.

Masson dit :

— Il est fou ce con !

Azzedine marcha vers la colline mais le chef le rappela :

— Reste où tu es, toi, ou je te fous au trou avec lui !

— Je le ramène, dit Azzedine.

— Non ! bondit Masson en colère.

Tout au sommet, Naïm poussait des cris de joie. Il interpella Masson encore une fois :

— Vous entendez, chef, il m'a appelé, Bachir-Tani ! Ecoutez, y a Bachir-Tani de mon zob qui m'appelle !

— Vous avez entendu quelque chose, vous ? demanda Masson à ses hommes.

— Non, chef ! répondit Perez.

— Moi non plus, dit Forbach, il est vraiment taré, le Naïm. Vous ne croyez pas qu'il faudrait aller le chercher.

Masson n'eut pas le temps de se prononcer.

— J'arrive, Bachir ! cria Naïm et il disparut de l'autre côté.

Azzedine demanda de nouveau la permission d'aller le chercher.

— J'ai dit non !

Masson regardait ses hommes, l'air drôlement embêté. Quelques secondes après, c'est un coup de feu que renvoya l'écho et Masson se redressa sur son siège. Les autres eurent peur du silence qui suivit. Il s'observaient, chacun attendait un ordre du chef. Rien. Il hurla :

— Arrêtez de me regarder comme des abrutis !

Azzedine se rua vers la colline, sans rien demander à personne.

— Bon, fit enfin Masson, allons voir !

Ce qu'ils découvrirent en atteignant, à bout de souffle, le sommet, ce fut, à mi-pente, Azzedine en train de dégager la tête de Naïm entre deux cactus. Naïm avait été tué d'une balle dans la gorge, mais il portait une énorme plaie dans le bas-ventre et ses couilles dans la bouche.

Et, tout autour, jusqu'à l'horizon, personne, pas de trace de fel. Rien.

Le silence.

Mars 62. Il fallait partir.

Les civils français, il n'y en avait plus au village. A la file, ils s'en étaient allés par la route d'Oran, vers le bateau de France, abandonnant derrière eux maisons, commerces, tout.

Masson reçut à son tour l'ordre d'évacuer, il prévint les harkis, qui s'empressèrent de faire venir femmes et enfants à la caserne. Avant l'exil, l'armée les prenant en charge.

De chaque côté de la route qui va à la caserne, les villageois faisaient la haie autour des familles de harkis qui arrivaient, baluchons sur la tête. Aux femmes ils lançaient :

— Tu en as profité, maintenant tu payes !

Et les enfants devaient se blottir contre le haïk de leur mère pour éviter les cailloux que leur jetaient des mômes de leur âge. Les femmes du village chantaient et tapaient dans leurs mains se moquant des futures exilées. Accompagnée de sa belle-mère, Meriem reçut le même accueil. La dernière ligne droite de goudron avant la porte de la caserne lui sembla longue, très longue, sous les insultes et les crachats. Une femme encore plus excitée que les autres essaya même de lui arracher son voile pour mettre un nom sur son visage. Heureusement, sa belle-mère parvint à repousser la furieuse, laissant même quelques insultes derrière elle. Meriem portait une valise marron.

A la caserne Azzedine la conduisit, ainsi que sa mère, au mess, où s'entassaient déjà les familles.

Il serra très fort sa mère contre lui. Elle l'embrassa et lui dit :

— Tu sais, je connais les Arabes : dans un an tout au plus tu pourras revenir, ils auront tout oublié !

Sûre d'elle, elle lui caressa l'épaule. Azzedine hocha la tête, approuvant pour lui faire plaisir.

— D'ici là, inch'Allah, prends bien soin de toi et de ta femme.

Et la mère quitta la caserne, le visage apparemment serein, sur l'élan de la confiance qu'elle venait de proclamer.

Au mess, insouciants, les enfants jouaient. Les mères restaient silencieuses. Elles évitaient de se regarder comme si chacune craignait de voir sa peur et sa honte sur le visage des autres. Certaines étaient âgées, avec de nombreux enfants. D'autres, toutes jeunes, seules ou avec un bébé qui réclamait le sein.

Il n'y avait, pour se réjouir de l'exil, qu'une très jeune, une adolescente qui s'était fait passer pour femme de harki et avait rejoint son frère à la caserne à seule fin d'échapper au mariage avec un vieux marchand de cigarettes ambulant que ses parents lui avaient manigancé. Les parents et le futur époux, un petit gros coiffé d'une chéchia, vinrent la réclamer au poste de garde. Mais la môme s'accrocha à son frère de harki et Masson approuvé de tous ses gars expulsa les intrus.

— Au moins une que les fels ne baiseront pas ! fit Perez en fixant la fugueuse.

Le marchand ambulant ne cacha pas qu'il allait poursuivre les parents, leur réclamer la dot, les robes, le bracelet en or...

Cependant, nombreux furent les harkis qui attendaient en vain leurs épouses et leurs gosses. Ces oubliés, on voyait bien qu'ils seraient les derniers à monter dans les camions. Mais d'autres n'admirent pas de devoir partir seuls. Parmi eux, Moussa, un peu plus âgé qu'Azzedine, le crâne rasé et portant la barbe pour cacher son double menton. Aussi des paluches énormes aux ongles bouffés.

— Je vais récupérer ma femme, annonça-t-il à Azzedine. C'est ses parents qui l'enferment pour l'empêcher de me suivre. Et même si elle ne veut plus de moi, elle, moi je veux ma fille.

Fusil sur l'épaule, il fonça vers son douar. Il fallait faire vite pour être de retour avant le départ des camions, fixé au lendemain. Il marcha une partie de la nuit, évitant soigneusement les hameaux tristes du djebel. Mais la lune était trop belle et, presque arrivé, des paysans eurent tôt fait de mettre un nom sur cette silhouette dont l'inquiétude se lisait d'ailleurs facilement : Moussa ne faisait que se retourner. Il y eut deux coups de feu. Le premier le fit tomber à genoux, et sa jambe gauche fléchit quand il voulut se relever. Le second le laissa bras ballants, avec une douleur qui lui brûlait la poitrine. Il avait marché longtemps, Moussa. Son corps était chaud. Il s'en rendit compte, quand un liquide glacé, doucement, avait suinté jusqu'à sa ceinture. Il ne voulait pas savoir si c'était du sang. Il ne voulait pas, non plus, savoir d'où étaient venues les balles qui l'avaient touché. Son corps tremblait. Les paysans, derrière les murs de pierre, regardaient Moussa qui vacillait sous la lune. On aurait dit qu'il priait, surtout qu'il était, par hasard, agenouillé en direction de La Mecque. Son fusil glissa de son épaule et tomba sur le sol. Sachant que les paysans l'épiaient, Moussa résistait, refusant de s'effondrer. Il aurait pu, encore, repousser la mort si un cri terrible n'avait jailli. Un appel poignant qui domina tous les abris. Celui d'une petite fille, la sienne à Moussa, qui lui criait :

— Baba ! baba !

Cet appel lui procura une joie qui l'acheva. Il céda. Il se laissa tomber.

Une main bâillonna la bouche de la petite fille. Les chiens aboyèrent.

Beaucoup de demeures de harkis, en ville ou à la campagne, avaient été encerclées par la nouvelle garde algérienne chargée de l'épuration. Les flics, des engagés de dernière heure, attendaient que le harki vienne chercher sa famille, soit pour le tuer, soit, le plus souvent, pour le rançonner. Lequel de ces harkis n'aurait pas donné tout son bien à la nouvelle garde pour qu'elle l'escortât, avec les siens, jusqu'à la frontière marocaine ?

Les exilés devaient ensuite se débrouiller seuls pour passer de l'autre côté, où d'ailleurs des familles entières furent massacrées par les rançonneurs, qui craignaient d'être un jour dénoncés par un des membres qui reviendrait au pays. Puis furent baptisés « harkis » des civils qui avaient servi comme pompier, ou facteur, ou éboueur et on en faisait une cible. On retrouva des cadavres partout, dans l'oued, sous les ponts, là où il y avait une cachette.

Il y avait eu les fiers : les fels et les harkis. Maintenant, c'était l'heure des rapaces. La guerre était finie.

C'était un dimanche matin et il faisait beau.

Les portes de la caserne étaient grandes ouvertes et on n'entendait que le ronflement continu des moteurs, chaque camion prêt à s'élancer sur l'ordre de Masson. Devant, debout sur sa jeep, Masson regardait l'heure à son poignet.

Blotties, dans les véhicules bâchés, les femmes de harkis attendaient sagement, comme des élèves sur les bancs de l'école. Dans un autre camion, leurs hommes n'étaient pas tranquilles à l'idée de faire toute cette route jusqu'à Oran, avec tant de villages à traverser qui sûrement les attendaient.

— Qu'est-ce qu'il fout ? hurla Masson.

— Je vais le chercher, chef ! dit Lanson en sautant de la jeep.

Le blond en brosse courut jusqu'aux latrines récupérer Perez qui, au dernier moment, avait demandé une minute pour aller soulager sa vessie. Lanson longea le couloir des douches et poussa toutes les portes des cabinets, sans le trouver. Et pas de Perez non plus sur le chemin de la buanderie. Alors le blond passa jusqu'au bâtiment qui abritait à la fois l'infirmerie et les cellules. Il ne trouva pas Perez à l'infirmerie, il le trouva dans une cellule, pendu. Cette même cellule où Chaouch et lui avaient torturé Antar à mort.

Le jeune Lanson eut peur car le pendu souriait. Terrifié, il courut vers les camions.

— Et alors ? hurla Masson.

— Y veut pas venir ! répondit Lanson.

— Pourquoi ?

— Il a dit comme ça qu'il ne voulait pas laisser Boussetta et la caserne aux fels, avec toutes les munitions qu'on y laisse, chef, il m'a dit de vous dire qu'il se battra jusqu'à son avant-dernière cartouche.

— Comme il voudra, conclut Masson, nous on se tire !

Il leva le bras et le convoi s'ébranla. En effet, Boussetta avait refusé l'exil. Resté seul entre les quatre hauts murs de la caserne, il attendit que la fumée du dernier camion soit retombée et il ferma toutes les portes de la garnison. Puis se souvenant d'avoir entendu Lanson dire que Perez aussi restait, il se mit à sa recherche mais sa curiosité ne dépassa pas le mess. Il s'assit sur un banc, tira de sa poche une liasse de billets de banque et se mit à compter les biftons. Heureux ! La veille, il avait assiégé le bureau de Masson pour réclamer son « ponon » comme il disait.

— Qu'est-ce que tu vas en foutre pov'con, puisque tu veux pas venir avec nous ?

— Ça te regarde pas, chef ! je veux ma paye de trois ans de régiment !

Masson dut faire la quête et tous les soldats y allèrent de quelques billets.

La dernière phrase de Boussetta avait été pour Azzedine, juste avant que le convoi ne démarre :

— Je peux te le dire à toi : je vais pas tarder à me marier, j'ai ce qu'il faut pour.

— Tu l'as bien mérité, avait répondu Azzedine. Et pour un peu, il chialait.

Massée sur la route d'Oran, la population attendait le convoi avec les insultes qu'on pouvait craindre, et des jets de pierres. En tête, Masson dut engueuler son chauffeur qui paniquait dans la foule de plus en plus dense, car les paysans aussi étaient venus en masse du djebel pour un dernier bras d'honneur aux harkis. Ceux-ci se trouvaient dans le premier camion, juste derrière la jeep de Masson. Ils entendaient le peuple réclamer leur peau. Le fusil entre les genoux, les mains sur le canon, ils gardaient la tête basse, sachant bien ce qu'ils perdaient mais pas du tout ce qui les attendait. La plupart n'étaient jamais sortis de par ici, alors la France... Une chorale improvisée guettait leur arrivée sur la place du marché. Des jeunes civils armés, au garde-à-vous, entonnèrent l'hymne national algérien, le poing levé. Masson les salua en soldat, la main au képi.

Enfin la route s'élargit. Le convoi accéléra et

bientôt les soldats purent relever la bâche arrière de leur camion. Et voir, dans la lumière revenue, qu'ils étaient nombreux à pleurer.

Jamais le pavé du port d'Oran n'avait été foulé par tant de monde. L'indépendance chassait les Français de cette Algérie, où la plupart étaient nés. Ça grouillait de partout. Noirs les quais, les visages, les habits. Endeuillés. Pas un ne pouvait parler sans des larmes dans la voix. Aucun ne se retournait, ils ne voyaient qu'une chose : atteindre la passerelle du premier bateau, puis se replier sur leur malheur. D'épais nuages de fumée s'élevaient tout autour du port : les colons venus en voiture ou en camion y avaient mis le feu, pour ne pas les laisser aux Arabes. Mais ça les amusait plutôt, les Arabes, cette mesquinerie. En attendant, les pompiers ne savaient où donner du tuyau. Des valises sur la tête, des baluchons en bandoulière, des sacs sur le dos, des enfants sur les épaules, ça se bousculait terrible ! Ça s'en allait, sans trop savoir où. Une dame dans les cinquante ans tout en noir, des pieds à la tête, avait préféré s'asseoir sur sa valise pour pleurer tout son saoul. Elle répétait :

— Où qu'on va, où qu'on va, mon Dieu ?

Sa bru, tout en larmes aussi, un gosse sur un bras, lui répondit tout en tirant sur sa robe de son bras libre :

— Je ne sais pas mamie, mais, je vous en prie, avancez sinon on va vous perdre !

— Autant me perdre là où je connais !

La bru, à un poil de la crise de nerfs, appela :

— Jean-Michel, Jean-Michel !

Son mari, qui était déjà loin devant, se retourna, en colère :

— Qu'est-ce qu'il y a ?

— Ta mère ne veut plus avancer. Moi j'en peux plus !

— Maman ! m'enfin...

Et il n'en dit pas plus Jean-Michel. Sa pudeur l'empêchait : toute cette émotion qui le serrait, et qu'il avait peur de laisser entendre. Venu en carriole, un vieux colon, fusil à l'épaule, déchargeait ses bagages sur le quai. Il fit descendre sa femme qui portait une statue de Marie dans les bras. Ensuite il libéra le cheval de ses sangles et commença à lui caresser tendrement l'encolure.

— Ne le tue pas, Isidore ! supplia sa femme.

Mais lui, le colon, ne voulait pas laisser son cheval aux Arabes. Il avait déjà épaulé son fusil.

— Ulysse, mon bon Ulysse ! cria la femme en s'interposant entre la bête et le fusil.

Son mari était blême, on le sentait froid, sec, mais ses mains tremblaient. Alors elle emmena le cheval vers la sortie du port et elle le laissa partir.

Le colon ne broncha pas. Le cheval trottait seul vers leur ferme. La femme s'agenouilla et embrassa le sol algérien pour un dernier adieu.

Le mari continuait de suivre, au loin, son Ulysse qui, lui, se foutait bien de tout ça.

La troupe de Masson se sépara sur les quais. Les harkis mariés eurent le droit de prendre le bateau des civils pour rester avec leur famille. Au pied du camion, Azzedine se retourna vers ses copains de régiment qui emprunteraient un autre bateau. Il les salua au garde-à-vous.

— A Saint-Mandé... S'il t'arrive quoi que ce soit, je suis au Fort de Saint-Mandé, lui dit Masson.

Et pour la première fois, Azzedine serra la main de son supérieur. Dans le regard de Masson il y avait une gêne, un sentiment incertain pour son harki, comme s'il se reprochait de l'avoir mené vers un idéal qui ne pouvait être le sien. Et, ne pouvant supporter le regard triste d'Azzedine, il tourna vite les talons pour regagner sa troupe qui l'attendait en rang, au bout du quai.

— Ne vous inquiétez pas, la France ne vous laissera pas tomber, l'armée française est désormais votre mère, elle vous couvrira.

Les harkis s'étaient dépêchés de croire Masson quand celui-ci, un peu auparavant, leur avait tenu ce discours. Ils étaient tellement désemparés ! Meriem ne pleurait pas. Elle prit le bras de son mari avec la certitude qu'une vie plus belle les attendait, réservée à eux seuls, à eux deux.

Elle se sentait légère et prête à affronter ce nouveau monde qui faisait pleurer les autres. Elle avait tant souffert, avec ses parents, avec sa belle-mère, avec la guerre, qu'il lui semblait, qu'à présent, rien de pire ne pouvait lui arriver. Elle se sentait plutôt soulagée.

Sur le pont du bateau elle se tint face à Azzedine et écartant son voile, lui montra ses yeux pleins d'espérance. Ils se fixèrent longuement, puis il répondit par un sourire.

— Je serais presque heureuse si autour de nous il n'y avait tant de larmes, lui murmurait-elle à l'oreille.

Ils s'assirent à côté de leurs bagages. Azzedine comprit la joie de sa femme. Elle avait eu peur, elle avait eu faim, et sans sa rencontre avec lui, elle serait, à son âge, vingt-trois ans, comme répudiée à vie, puisque divorcée de son premier mari. Elle n'aurait plus qu'à mourir vieille fille, après n'avoir été, toute sa vie, qu'une domestique pour ses frères et sœurs : celle qu'on n'habille pas, celle qui se tait.

C'est donc avec courage qu'elle partait pour la France et c'est toute cette force qu'elle voulait insuffler à son mari. Lui restait pensif, les yeux caressant la mer. Bondé, rempli jusqu'aux cales, le bateau était prêt au départ. La sirène déchira les cœurs et des cris de désespoir montèrent au ciel. Comme si le bateau coulait. Aussi bien les Français que les harkis ne savaient s'il fallait baisser le front pour cacher sa peine, ou garder la tête haute pour voir une dernière fois Oran qui s'éloignait.

Au milieu des pleurs, un vieux juif coiffé d'un chapeau trop petit et vêtu d'un lourd manteau sombre se leva et, se frayant difficilement le passage parmi les siens, pétrifiés de douleur, alla s'appuyer au bastingage en fixant cette ville d'Oran qui le chassait. Il parlait en arabe et on l'aurait dit étourdi par les mots qu'il récitait à l'adresse du pays tant aimé. Des phrases dites comme on dit un poème lui traversaient l'esprit, et il les avalait comme on se nourrit. Il récitait tout haut, avec des gestes, enchaînant avec un sourire :

— Oran El Bahia ! Oran El Zahia !

Seuls, semblait-il, ces mots, qui lui revenaient, entre d'autres qui le fuyaient, le retenaient debout. Sa vieille épouse se traîna vers lui sur les genoux. En chemin, elle prenait appui sur l'un ou sur l'autre, se reposait en embrassant une main fraternelle qu'on lui tendait. A Azzedine qui s'écartait pour la laisser passer, elle dit :

— On est de Sidi el-Houari, et vous ?

— Medenine.

Elle considéra Meriem aussi :

— Que Dieu vous garde tous les deux ! dit-elle.

Son nez coulait et à chaque halte elle se massait les genoux en grimaçant. Elle cherchait refuge dans les yeux de chacun, cela la consolait de n'être pas la seule dans le malheur. Arrivée aux pieds de son mari, elle s'agrippa à son manteau et lui lança :

— Pendant des années, tu as voulu me le réciter ce poème et tu ne t'en souvenais jamais ; et quand je te disais, cherche bien dans ta tête, tu me répondais, j'avais neuf ans quand je l'ai appris à la medersa, alors je m'en souviens plus, et tu te fâchais.

Il n'entendait pas, le vieux :

— Oran la rouge, Oran l'infidèle...

— Mon Dieu, conclut la femme, maintenant qu'il nous faut oublier, il se souvient de tout !

Au loin, sur le quai, les Arabes agitaient leurs mains et des mouchoirs. Il y en avait de tristes et d'autres qui n'étaient venus que pour le spectacle, mais aucun ne mesurait l'ampleur exacte de l'événement.

Quand la mer eut emporté Oran hors de vue, le vieux juif perdit l'équilibre et, délicatement, glissa sur le plancher. Il ferma les yeux. Sa femme lui ôta son chapeau et lui posa la tête dans le creux de ses cuisses. Elle vit que ses lèvres bougeaient de nouveau, il priait en hébreu. Alors elle reprit tout haut sa prière, et les juifs du bateau se levèrent, et ceux qui portaient des chapeaux se découvrirent, Azzedine et tous les autres Arabes firent de même. Peu après, le vieux joignit les mains et ses lèvres cessèrent de remuer.

— Il est mort ? demanda sa femme à un voisin debout près d'elle.

Le voisin s'accroupit et ferma les yeux du vieux juif. Des marins emportèrent le corps sur un brancard. La vieille n'eut pas la force de suivre, elle resta assise, à prier.

Le bateau vogua une journée et toute une nuit, pour n'arriver qu'à la fin de l'après-midi du lendemain.

Port-Vendres. France.

Ils étaient foule, les curieux qui attendaient les bateaux en provenance d'Algérie. Des Français se montraient d'un air rigolard d'autres Français qui descendaient la passerelle : des « pieds-noirs ». Ils les suivaient des yeux comme s'ils débarquaient de la planète Mars. Des enfants collaient aux pas des exilés pour voir s'ils ne laissaient pas de traces noires sur le pavé et leurs parents disaient : « Ils n'ont que ce qu'ils méritent après avoir tant amassé de pognon sur le dos de l'indigène. Maintenant ils vont voir ce que c'est de vivre à la dure sans la Fatma de ménage et le Messaoud de service, bien fait pour eux ! C'est tous des juifs ! Espérons seulement qu'ils ne s'attardent pas ici, allez zou, à la gare ! »

Arabes et juifs se quittèrent sur le quai. Ils s'embrassaient. Ils ne se connaissaient pas, ils n'avaient en commun que la peur de se retrouver seuls dans un wagon, un quartier, une ville. Ceux qui, par hasard, allaient dans la même direction restaient, soudés les uns aux autres.

Des camions militaires attendaient les harkis, qui allaient être dispersés aux quatre coins de France. Meriem et Azzedine, d'autres Oranais restèrent dans le Sud. L'armée les dirigea sur une cité de transit bâtie à la hâte et baptisée Rouge-Terre, en bordure de la zone industrielle d'Aix-en-Provence.

La différence entre une cité de transit et un bidonville pour immigrés est facile à comprendre : dans les cités il y a l'eau courante dans chaque baraque, dans les bidonvilles, il n'y a qu'un robinet pour tout le monde.

Entourée d'Arabes, Meriem n'était pas trop dépaysée, elle ne se déplut pas dans la cité. Les jours passaient et elle n'avait pas le mal du pays. Elle goûtait enfin à son indépendance à elle. Elle revivait. Mais beaucoup d'autres femmes aussi. Elles se voyaient assez d'espoir pour prendre en main le destin de leur famille. Abattus par la défaite et l'exil, les hommes, eux, avaient plutôt tendance à sombrer dans le silence et l'alcool. Ils se retrouvaient tous les soirs dans les deux bistrots de la cité, noyant leur chagrin à la bière. Ils se défendaient de parler du pays, sauf pour s'en prendre aux autres. A tous : aux pieds-noirs à qui on promettait un dédommagement, aux Algériens de France qui les narguaient, aux Français pour lesquels « on a l'impression qu'il ne s'est rien passé », disaient-ils. Boufeldja était le plus excité : un petit homme joufflu de Boufarik qui s'était illustré pendant la guerre en dénonçant son frère moudjahid aux Français, pour, paraît-il, lui piquer sa femme, dont tout le village vantait la beauté. Quoique ayant juré à ses parents et à la mosquée qu'il n'était pour rien dans l'arrestation de son frère. Il n'en avait pas moins essayé de persuader la belle de le prendre comme second époux. Et c'est en recevant des menaces des fels que la colère l'avait pris. Et la peur ! Un après-midi on avait retrouvé la jeune femme, nue et morte, dans la maison de ses beaux-parents. Mais Boufeldja était déjà loin, sous l'uniforme français.

— Tout ça pour rien ! se lamentait-il au bistrot. Toutes ces années perdues pour que l'on nous considère comme des immigrés ! Pourtant même eux, les Français, disent que nous sommes français !

Certains harkis avaient répondu, malgré eux, à la proposition de l'armée de les reprendre en garnison. Malgré eux : car la guerre était finie et ils ne voulaient plus en entendre parler. Malgré eux : dupés une première fois, leur confiance dans le drapeau tricolore était des plus limitées. Enfin, bref, sans enthousiasme, sûrs de l'emploi mais pas de s'enrichir, ils furent un certain nombre à réendosser l'uniforme. Pas Azzedine. Azzedine resta sourd à l'appel du clairon :

— Je n'ai pas une âme de soldat !

Meriem en fut fort aise. Elle savait que son

cauchemar, de jour ou de nuit, où un soldat tout gosse, avec un accent chaoui, lui annonçait la mort d'Azzedine dans le Djebel, s'effacerait désormais de son esprit.

« Non, je n'ai pas une âme de militaire ! » redit Azzedine en agitant ses mains mouillées au-dessus de l'évier avant d'attraper la serviette pour s'essuyer. Il se parlait à lui-même, comme s'il cherchait à se convaincre. Meriem priait dans la chambre, les genoux sur la descente de lit. Azzedine avait du regret dans la voix : au fond il admirait ces soldats qui portaient leurs galons comme on porte, fier, Sa-Mère-Nation sur les épaules, l'œil exalté et brillant. Azzedine aurait bien aimé être habité par cet esprit chevaleresque, mais il préféra se faire embaucher comme cantonnier par la commune Rouge-Terre. Il passait ses journées dans une estafette avec son équipier Lacatus (un Roumain de Constanza passé en France après avoir refusé de placarder le portrait du leader du parti unique sur le minuscule kiosque où il vendait des billets de loterie) à transporter du matériel d'un endroit à l'autre de l'agglomération. Et s'il se présenta au permis de conduire, ce fut sur le conseil de Lacatus, qui sut lui faire valoir les avantages qu'il pouvait en tirer.

Le soir, Azzedine saluait le Roumain et, la baguette sous le bras, prenait le chemin de la cité qui s'étirait à l'écart, triste comme un gnon sur un visage, hors des routes éclairées. Par temps de pluie, les baraques prenaient l'eau et les gosses pataugeaient à longueur de jour dans la boue. D'ailleurs tous les harkis rentraient du boulot à pied : pas de transport. Ils s'égrenaient sur la route comme des combattants usés. Ils ne se parlaient pas, leur regard allait vers la cité. A peine saluaient-ils Azzedine, quand il les dépassait, d'un pas quand même plus nerveux. Au fond, pas un n'avait envie d'aller jusqu'aux baraques. S'il n'y avait eu les gosses et les femmes qui les attendaient, ils se seraient incrustés au bistrot. Ah ! oui, c'était la sale vie pour ceux qui n'avaient pas rempilé dans l'armée. Il leur fallait accepter des emplois que même les immigrés refusaient. Par exemple manœuvre dans cette fabrique de pneumatiques au sous-sol surchauffé. Ou à l'usine de ciment, avec les sacs qui leur cassaient les reins et la poussière qui les asphyxiait.

— Des analphabètes, rien que des analphabètes ! Qu'est-ce que vous voulez que j'en foute de ces bourricots, se lamentait l'assistant social chargé par la mairie d'aider ces « nouveaux Français ».

— Alors qu'ils nous fassent l'école, dit Boufeldja à Si Hamza, le doyen des harkis. Nous on demande qu'à apprendre.

Et Si Hamza, tête couverte dans sa djellaba blanche, alla transmettre à la mairie.

Beaucoup de harkis se laissaient périr, surtout ceux dont les familles n'avaient pas suivi. On les appelait les célibataires. Ils étaient logés, avec des Maghrébins et des Africains, dans un foyer à étages, du côté de la gare des marchandises. On en rencontrait pas mal dans le centre d'Aix, traînant la savate et la main tendue. Le plus connu était Ould-el-Hady. Celui-là, quand un passant lui refusait la thune, il lui chantait *la Marseillaise,* au garde-à-vous. D'autres, carte d'identité française épinglée au revers de la veste, se retrouvaient à la soupe populaire. Une fois la semaine, le chef, Si Hamza, envoyait Azzedine, dans la camionnette de la mairie, ramasser ces vagabonds pour les amener à la douche. Ensuite les femmes de harkis leur servaient la chorba dans la salle de réunion, et Si Hamza leur faisait encore une fois la leçon :

— Nom de Dieu, vous êtes des hommes, reprenez-vous !

Mais on voyait bien que ces gars-là étaient knock-out par la vie. Ils se fichaient bien des « vous nous faites honte ! » de Si Hamza. La honte, ils l'avaient en eux. Deux ou trois se jetèrent dans le Var. Avec la honte supplémentaire d'être repêchés à temps, gorgés d'eau et déjà bleus, mais la bouteille de vin toujours dans la poche. Mais c'est quand même un noyé qui inaugura la partie du cimetière de Rouge-Terre réservée aux harkis. S'il avait pu imaginer la détresse qu'il causerait aux siens lorsqu'ils pénétrèrent, lui sur leurs épaules, en terrain chrétien, avec tant de croix tout autour, il se serait foutu à l'eau dans un autre département. Ce jour-là, Si Hamza eut l'impression de bafouer toute la culture qu'il portait en lui. Le malaise !

Même le Coran n'a pas pensé à ça : qu'un musulman passerait l'entrée d'un cimetière chrétien pour y être enseveli. Le sentiment d'une totale incohérence s'empara des fidèles arabes, et leur fit accélérer la cérémonie. Le soir même, Si Hamza revendiquait devant la mairie de la commune un autre lieu pour enterrer ses morts. Puis vint le mois de ramadan et le doyen insista pour que la communauté respecte le jeûne. Mais la plupart de ces « nouveaux Français » ne savaient plus où donner de la tête. Vers Paris ? Vers La Mecque ? Boufeldja, le plus amer, répondait à Si Hamza en tapant du poing sur la table :

— Rien que pour nier l'Algérie, je ne ferais pas le carême !

— En suivant ce raisonnement, répondit Si Hamza, vous vous perdez. Que va-t-il nous rester, si nous rejetons nos supports religieux ? Il n'y a plus qu'eux pour nous tenir encore debout.

— C'est ça, cultivons notre différence ! Comme si on ne nous montrait pas assez du doigt, répliqua Boufeldja.

Certains, comme Azzedine, trouvèrent le courage de sourire avant de rentrer chez eux. Azzedine retrouva Meriem tout heureuse du dîner qu'elle avait préparé pour son homme. Comme toutes ses compagnes, elle avait abandonné le port du haïk et faisait ses courses toute seule.

Dans le F2 il y avait un lit, une table et deux chaises. Un poste de radio donnait les nouvelles d'Alger, avec de la musique de là-bas. Le speaker enseignait l'orthographe du mot « El Djazeïr » entre deux chants célébrant la joie d'être indépendant. Dans la cité, c'était une autre musique. Rentrés saouls les hommes cognaient. Les femmes suppliaient, les enfants pleuraient. Azzedine décida de déménager dès qu'il aurait passé son permis de conduire, mais c'est juste la veille que Djelloul, un harki célibataire, les quitta. Azzedine ne ferma pas l'œil de la nuit. Tracassé tantôt par l'examen qu'il voulait tant réussir, tantôt par Djelloul, ce jeune harki, court sur pattes et à la peau noire, qui s'était fait expulser quelque temps plus tôt du foyer des célibataires parce qu'il ne supportait pas les Algériens autour de lui. Dès qu'il en croisait un dans un couloir, il sortait son couteau et ça hurlait de partout. Mais où ça se gâta c'est quand il blessa un vieux. La police débarqua, emmena Djelloul et il fallut que Si Hamza insistât beaucoup pour que le commissaire acceptât de le lui rendre, à condition que l'excité quittât le foyer. Depuis lors, il habitait la cité, entouré des familles harkis. Il travaillait la nuit à la fabrique de pneumatiques, mais il rêvait d'être chauffeur. Et bientôt il apprit que les ambulances Delorme de Rouge-Terre en cherchaient un. Il avait son permis de conduire militaire, mais Delorme le reçut froidement :

— T'as pas assez l'expérience de la route pour ce boulot.

Djelloul éclata de rire. Il joignit ses mains sur la poitrine et dit, pas peu fier :

— Moi ? Même Massu, il voulait que je sois son chauffeur, quand il m'a vu sortir mon chef d'une embuscade à Alger ! Entre les balles que je slalomais au volant de la jeep, mon chef, il se croyait déjà mort, mais je l'ai ramené à la caserne sans une tache sur son uniforme !

Il rit, Djelloul, mais pas Delorme.

— Et les mines, y en a pas une qu'ait jamais touché un de mes pneus !

Delorme le refroidit :

— Je ne peux pas vous prendre !

— Très bien, très bien, comme ça on en parle plus ! fit Djelloul et il quitta la boutique.

Seulement sur le chemin de la cité, voilà qu'il rencontra Boufeldja le coléreux, et lui raconta l'affaire :

— Tu sais pourquoi il t'a refusé la place ? demanda Boufeldja moqueur, en tapant sur le front de Djelloul.

— Non !

— Aâla oujhek ! (à cause de ton visage).

— Oujhi ! (mon visage) Qu'est-ce qu'il a mon visage ?

Boufeldja se prit la tête à deux mains, l'air de dire : « Peut-on être aussi con ? »

— Ta gueule, elle est pas blanche, expliqua-t-il, même si ta carte elle l'est, elle !

— Tu crois qu'il ne veut pas de moi juste à cause de ma peau ?

— Si je te le dis ! lui assura Boufeldja en tournant le dos.

Alors Djelloul ne fit ni une ni deux. Au pas cadencé il retourna aux ambulances. Delorme était au téléphone. Le couteau de Djelloul le frappa au ventre.

— C'est un crouille du ghetto, put murmurer Delorme aux policiers.

Djelloul était déjà retourné s'enfermer dans sa baraque au milieu de la cité, et il menaça les policiers qui l'encerclaient de se péter la cervelle au premier qui approcherait. Pour prouver qu'il le ferait, il tira une balle qui frôla un des flics. Tous les harkis, Si Hamza en tête, comprenaient leur frère. Et le frère gueulait derrière la fenêtre :

— Moi je ne voulais que rentrer dans les ambulances, Si Hamza, et transporter les malades, comme avant avec le capitaine Vergne, mon chef !

— N'aie crainte, fils, nous sommes avec toi, le rassurait le doyen qui servait d'intermédiaire entre la police et lui. Si Hamza alla parler au commissaire :

— Il voulait continuer à servir, vous comprenez ! A toute allure comme là-bas avec la sirène et le gyrophare !

De temps en temps, la main de Djelloul, armée d'un pistolet rapporté du djebel et qu'on apercevait entre les volets, venait rappeler qu'il veillait au grain. Mais ce n'est que plus tard dans la nuit que la foule et les flics apprirent que Delorme n'avait pas, comme on dit, survécu à ses blessures.

Si Hamza en avertit Djelloul.

— Je m'en fous ! répondit le Noir. Moi j'ai fait la guerre pour lui et pour les autres et il m'a ignoré comme si j'étais rien !

Le commissaire dit de préparer les bombes lacrymogènes. Aussitôt les harkis vinrent se mettre entre la baraque du réfugié et les gendarmes. Embarrassé, le commissaire dit au doyen :

— La population ne comprendrait pas qu'un gars tout seul nous ait tenu si longtemps en échec. Nous allons charger.

— Non, répliqua Si Hamza. Nous sommes avec lui et lui seul décidera de son sort.

— Dis-leur, Si Hamza, dis-leur que nous avons cru à la victoire beaucoup plus qu'eux ! hurla Djelloul.

Il s'énervait, on lui sentait des larmes dans la voix.

— On s'est donné à eux et ils veulent rien nous donner, hein ! Si Hamza, dis-leur !

— T'inquiète pas, fils, t'inquiète pas ! lui répétait Si Hamza.

Le doyen parlait à Djelloul comme on parle à un enfant. D'ailleurs le Noir, derrière la fenêtre, pleurait maintenant à chaudes larmes.

— Ils ne nous aiment pas hein ! lâchait-il encore entre deux sanglots.

— Calme-toi, dit seulement Si Hamza.

C'est alors qu'arriva dans une D.S., en costume et cravate, encadré d'assistants, le sous-préfet.

Juste derrière lui, comme s'ils le filaient, des journalistes, des photographes. Le sous-préfet alla s'asseoir avec le commissaire et Si Hamza sur les marches d'une baraque proche. Quand l'aube pointa, ils y étaient encore.

Azzedine se souviendra toujours qu'il essayait de persuader Meriem de regagner leur demeure, parce qu'il faisait froid.

Meriem ne voulait pas aller au chaud près du poêle à mazout. Elle avait dit :

— Faut pas le laisser seul ce garçon !

Lorsque retentit le coup de feu, Meriem ferma les yeux et mit ses mains sur son visage, murmurant « mon Dieu » ! Azzedine et Boufeldja bousculèrent Si Hamza pour forcer la porte. Pas un flic ne bougea. Le commissaire s'en remit aux harkis pour faire le nécessaire.

Djelloul s'était perforé le cœur, mais il était encore assis sur une chaise, pas mort. Il avait du mal à respirer. Il sourit à Azzedine et Boufeldja et réussit à leur dire :

— Z'avez vu ! dans le cœur, la balle. Pas au visage. J'en ai pas honte, de ma tête !...

Il dit encore :

— Par contre le cœur, lui, il s'est souvent mal conduit...

Il releva péniblement la main droite et plia son index, pour le pardon. Il mourut sur le brancard du SAMU. Les femmes du ghetto pleurèrent comme au bled. Au matin la cité était déserte, les enfants à l'école, les hommes à l'usine. Et Si Hamza priait encore.

Son permis de conduite en poche, Azzedine n'eut plus qu'une hâte : partir avec Meriem loin du ghetto. Le médecin lui avait dit :

— Ta femme est faite pour avoir des enfants, mon vieux ! Elle n'a aucun blocage physique. Ce qu'il vous faut à tous c'est du calme, la paix, hein mon vieux ! plus de stress...

Le stress, Azzedine n'avait jamais entendu parler de ça. Meriem et lui avaient passé des tas d'examens, et ils en arrivaient à douter d'avoir un bébé un jour.

Une raison de plus, le stress, de quitter la cité !

Azzedine répondit à une annonce de livreur à Bezons, dans la banlieue parisienne. Non seulement sa demande fut acceptée, mais l'entreprise lui assurait un foyer.

— Il n'y a pas de problème, Monsieur, lui répondit une petite voix au téléphone, on a ce qu'il vous faut.

Meriem embrassa ses voisins et lui, Azzedine, après avoir chargé le lit, la table et les deux chaises dans la camionnette avec l'aide de Lacatus, alla saluer Si Hamza, qui lui ouvrit ses bras :

— Où que tu iras, où que tu sois, veille toujours à donner une bonne image de notre communauté. Et que tes enfants — Que Dieu t'en donne ! — montrent que nous n'avons pas été une génération perdue !

Le vieux ne lâchait toujours pas les épaules d'Azzedine.

— Si les Algériens sont faits pour la liberté, continua-t-il, qui nous dit qu'ils ne se retrouveront pas un jour, même gouvernés par des militaires.

Si Hamza embrassa Azzedine et reprit :

— Ils disent « le bon choix », mais qu'est-ce que c'est le bon choix ? C'est peut-être bien toi qui l'as fait, en t'engageant pour nourrir ta famille. Tu as fait ce qu'il t'avait paru bien de faire et c'est ça l'important. Que tes enfants soient d'abord des hommes, ensuite Dieu les guidera.

L'accolade fut longue.

A coups de klaxon Lacatus, qui accompagnait Azzedine et Meriem, dispersa les Arabes qui saluaient le couple, sur le départ. La camionnette prit la route du Nord. Meriem éclata en sanglots.

Le voyage fut long, et c'est épuisé que le trio arriva au matin à Bezons, devant le dépôt de livraison où Azzedine devait travailler.

Une secrétaire lui donna l'adresse et la camionnette remit les gaz vers la future demeure. Elle fut vite trouvée. En la voyant, Meriem fit la grimace et Azzedine tint sa tête à deux mains. C'était encore à une cité de transit que le destin les avait menés. Meriem qui avait rêvé d'un petit pavillon ou d'un appartement un peu confortable ! Non, ça allait être de nouveau la boue et le froid.

Azzedine prit la main de Meriem :

— Je te jure qu'on ne restera pas très longtemps.

Ils y vécurent cinq mois. Le voisinage, des Maghrébins pour la plupart, était agréable.

Les adultes parlaient l'arabe, les enfants le français. Par beau temps la cité devenait assez vivable. Seul inconvénient, mais de taille : l'apparition des délégués des « Algériens de France », quêtant pour leur fonds de soutien. Azzedine refusa d'acquitter l'impôt pour le timbre d'adhérent. Il répondit simplement :

— Je n'ai pas les moyens de vous aider.

Fâché, le délégué partit en claquant la porte.

Meriem fit son premier marché avec Arjouna, une Tunisienne de vingt ans plus âgée qu'elle, pour qui elle s'était vite prise d'amitié. Arjouna était de la première génération d'immigrés, celle qui était arrivée dans les mines du Nord. Mais son mari n'ayant pu supporter le fond, pris de claustrophobie, ils avaient cherché ailleurs. Elle emmenait Meriem jusqu'au bidonville de la

Garenne acheter sa viande chez un boucher aux rites musulmans.

Pendant ce temps, Azzedine livrait dans une fourgonnette des produits alimentaires. Il était heureux de son emploi qui lui permettait, quand les courses n'étaient pas trop longues, de finir sa journée assez tôt pour réviser ses leçons de français avant d'aller au cours du soir qu'assurait une jeune institutrice à la même école que fréquentaient les enfants de la cité.

Ses progrès furent rapides et il en fit profiter Meriem qui apprit là ses premiers mots de français.

Mais le grand, l'incomparable bonheur fut pour elle, au début de l'automne, de se voir enceinte. Quand elle l'annonça à Azzedine, il faillit l'étouffer de joie. Ils se moquèrent du « stress » et s'empressèrent d'informer Si Hamza et leurs amis du Sud. Toujours à l'affût d'un emploi mieux rémunéré et d'un meilleur logement dans quelque région que ce soit, Azzedine éplucha de plus belle les petites annonces des journaux.

Quand la section des « Algériens de France » revint quêter, il n'ouvrit même pas à ses délégués. Meriem eut beau lui conseiller un peu de courtoisie, en apparaissant, ne serait-ce qu'à la fenêtre, il refusa de se montrer. Azzedine ne bougea pas de sa chaise. Aussi longtemps que les délégués cognèrent, chacun son tour, à la porte.

— Ils finiront par comprendre que ce n'est pas la peine de revenir, dit-il à sa femme.

— Moi, ils me font peur ! soupira Meriem.

Le lendemain, partant à l'aube pour son travail, Azzedine trouva un H gigantesque tracé à la peinture blanche sur la porte rouge.

Un H comme harki.

Il retroussa ses manches et alla chercher à l'arrière du camion un bidon d'essence pour faire disparaître, au chiffon et à l'éponge, l'inscription. Le soir, il dit à Meriem :

— S'ils ont le culot de frapper encore une fois à cette porte, la prochaine fois qu'ils passent, je leur ouvrirai, mais pistolet au poing !

Cela d'un ton calme, froid, sans élever la voix, sans le moindre signe de colère ou de haine sur son visage. D'ailleurs Meriem le croyait incapable de haïr ou de tromper qui que ce soit. Et elle n'était pas la seule. Arjouna ne lui avait-elle pas dit : « Ton mari est un homme juste et droit ! » Pourtant, la Tunisienne le connaissait à peine.

Azzedine avait donné la main à son mari, l'ancien mineur, pour dépecer le mouton de la fête de l'Aïd, et ensuite, elle lui avait offert le café. Un mot par-ci, un autre par-là, juste cette fraternité qu'on se montre, sans vouloir se mêler de la vie des autres.

Meriem sursautait à chaque coup dans la porte, elle craignait le retour des délégués. Mais c'était la plupart du temps, un enfant envoyé par sa mère chercher un oignon, ou des allumettes, ou de la menthe. Elle ne se sentit vraiment libérée que lorsque Azzedine reçut une lettre l'informant qu'il était admis au concours organisé par les *Transports Rémois*. Il avait envoyé un duplicata de son permis de conduire de poids lourds, et passé l'examen par correspondance.

— Quelle chance ! dit Meriem pensant aux délégués de l'Amicale.

La lettre annonçait aussi l'attribution d'un logement, un trois-pièces au troisième étage d'un immeuble.

Sans même s'en rendre compte, Meriem poussa un you-you de joie qui fit tressaillir Azzedine.

Trois jours plus tard, ils emménageaient à Reims.

Une fois les meubles dans l'appartement, Azzedine remercia le routier qui lui avait rendu le service de les transporter depuis Bezons, puis descendit avec lui reprendre sa veste qu'il avait laissée dans le camion. En remontant, il appela Meriem pour savoir comment elle souhaitait qu'il dispose les meubles. Mais pas de réponse. Il ne la trouva ni dans la cuisine ni dans les chambres. Elle était dans la salle de bains, assise, pensive, au bord de la baignoire.

— Qu'as-tu ? lui demanda Azzedine en se penchant sur elle.

Sans lever la tête, elle répondit, d'une voix dolente :

— Une salle de bains... avec de l'eau chaude...

En très peu de temps, Azzedine fut connu de tout le quartier comme « le chauffeur de l'autobus ». D'ailleurs il avait pour clients bon nombre de ses voisins. Et qu'est-ce qu'il portait bien l'uniforme, la casquette qui rehausse le front, le blazer bleu marine et le légendaire pantalon gris en Tergal des petits fonctionnaires !

— Dans ton bus, le taquinait Meriem, tu bombes tellement le torse, que l'on dirait un coq qui veut en imposer à sa basse-cour.

Azzedine riait aussi, tant il était sûr que son nouvel emploi lui assurait l'avenir. Il avait enfin l'impression de commencer à y voir plus clair. En attendant la venue du petit, il leur arrivait souvent, à Meriem et à lui, d'échanger de longs regards, surtout le soir, quand l'immeuble s'enfonçait dans le sommeil.

Au fond ils se regardaient comme des survivants d'une catastrophe. Et le temps qui leur restait à vivre comme un plus miraculeux.

Avec l'argent qu'Azzedine rapportait, Meriem

put enfin s'acheter du tissu oriental dans un vieux magasin juif de Reims, le seul qui restait, avec lequel elle se confectionna une robe dans le style de là-bas. Elle savait coudre Meriem! Répudiée par son premier mari elle devait, de retour chez ses parents, apprendre, savoir tout faire pour mériter sa soupe.

Elle y pensait souvent, Meriem, à ce qu'elle serait devenue si son chauffeur de bus n'était pas venu lui donner la main pour la moisson cet après-midi si chaud où ils s'étaient fixés pour la première fois. Elle n'était rien qu'une vieille avant l'heure depuis le jour où son premier mari lui annonça devant toute la famille et d'autres témoins :

— Je te répudie femme! (répété quatre fois selon les usages), tu ne ponds pas!

Son père lui avait même allongé une baffe pour bien montrer ce qu'il en faisait, lui, d'une fille qui avait couvert sa maison de honte.

C'est sur les genoux, et en se frappant la poitrine pour se punir de n'être qu'une moins que rien, que Meriem avait suivi ses parents qui rentraient chez eux.

A cet instant, Meriem aurait voulu mourir. Elle l'avait demandé au bon Dieu :

— Tu m'as fait, tu me reprends. Je t'en prie!

Le bon Dieu n'avait pas voulu.

Parfois, en ville, un klaxon insistant faisait se retourner Meriem en train d'admirer, cabas au bras, les belles vitrines de Reims. C'était Azzedine, fier et ému sur son siège, qui hélait sa femme. Alors elle agitait amoureusement sa main vers lui, et lui soulevait un instant sa casquette respectueusement. Avec quel sourire de part et d'autre ! Un sourire qui vous unit pour toujours.

Ils achetèrent ensemble le réfrigérateur et le tourne-disque. Dans le gourbi du vieux juif de Reims, ils dénichèrent aussi un disque de Cheikha Rémitti et c'est avec cette reine du Raï qu'ils étrennèrent le Teppaz. Les paroles étaient assez osées pour l'époque, et les fausses notes plutôt assommantes, mais le son était de là-bas et Meriem riait. Azzedine prit bientôt l'habitude en rentrant du travail, le soir, de s'arrêter au bistrot du coin de la rue, pour ouvrir son journal du soir devant un verre. Et la taulière Huguette, une petite rousse de cinquante ans, osseuse et maniaque, ne tarda pas à apprécier ce nouveau. Il était discret, généreux et il ne buvait pas. On peut tenir un rade et ne pas aimer les ivrognes ! Il fallait voir Huguette ouvrir ses bras à Azzedine derrière son zinc minuscule, lorsqu'il se pointait avec un petit bouquet pour elle ! Il avait droit au baiser frontal et au verre de la patronne.

C'était si gentil qu'il finit par amener Meriem, le dimanche matin après le marché. Au fond, Huguette était leur seule amie.

Aussi lorsque Meriem accoucha de Sélim, la première pensée d'Azzedine fut de lui faire partager sa joie. C'était peu avant l'aube et

Huguette en levant son rideau de fer le trouva assis sur les marches, mal rasé et le col de sa veste relevé, elle s'inquiéta.

— Il est né ! ! ! cria-t-il, en lui sautant au cou.

— C'est con ! dit-elle, c'est trop tôt pour le champagne !

— Mets une bouteille au frais pour ce soir ! Moi, je vais me prendre une douche.

Il avait veillé toute la nuit à la clinique. Sélim, comme un cabot, s'était fait prier.

— Celui-là, avait dit une infirmière, ce sera un artiste, il s'y emploie déjà à se faire attendre !

Meriem souffrait beaucoup, grimaçait, serrait les poings. Assis au bord du lit, Azzedine lui caressait les joues et lui épongeait la sueur qui couvrait son front.

C'est qu'elle poussait de toutes ses forces, Meriem, pour donner vie.

Meriem qui « ne pond pas » !

C'est elle qui naissait de nouveau et, en poussant, c'est toutes les peurs, tous les doutes d'autrefois qu'elle faisait s'envoler.

Mais il fallut toute la fin de la nuit pour que Sélim montre enfin le bout du pif. Meriem, alors, dans un ultime soubresaut mordit tant qu'elle put la main d'Azzedine qui lui caressait les lèvres. Comme ça, le mal que lui donnait son fils, le père l'avait aussi.

Il n'y avait qu'eux au monde. Ensuite, silence.

Meriem s'endormit une main sur le berceau. Azzedine quitta la chambre sur la pointe des pieds. Reims s'éveillait et les rues étaient encore baignées de la fraîcheur de la nuit. Azzedine avait envie de crier sa joie, d'embrasser le monde, de lui faire partager son bonheur. Si Hamza était si loin et sa mère encore plus. Les éboueurs qu'il rencontrait n'avaient sûrement pas le temps.

C'est frustrant de vivre seul un pareil moment ! Il ne trouva rien de mieux que d'aller s'asseoir sur les marches d'Huguette. Tout en grillant cigarette sur cigarette, il se promit de vite écrire à sa mère et à ses beaux-parents. L'après-midi, entre deux services de bus, il appela la cité de Rouge-Terre.

C'est Boubeker, ancien harki comme lui, qui lui répondit. Il travaillait comme pompiste à la station Esso de la route de Grasse, mais passait ses heures libres devant le téléphone. Quand vous aviez un message à faire passer à la cité, Boubeker se chargeait de transmettre. C'était un petit moustachu à l'allure penchée. Son corps et sa tête pesaient tellement à droite que l'épaule gauche remontait très haut et on s'attendait toujours à le voir basculer sur le flanc. Il s'était engagé tout jeune à la garnison de Sétif, trichant même sur son âge. Avant, il était un petit berger bien tranquille, et jouait de la flûte dans les fêtes. Il ne se plaignait pas de la vie : il ne la connaissait pas. Un bol de lait fermenté et un croûton de pain noir lui suffisaient pour la journée. Mais voilà qu'un jour ses trois vaches chopèrent des puces. Des puces comme il n'en avait jamais vues Boubeker. Les pauvres vaches ne broutaient plus, meuglaient à tout va, ne tenaient plus en place. Et pas un vétérinaire dans toute la région. Fallait-il abandonner les vaches ? Les laisser mourir ? A la fin, Boubeker vit la solution :

— T'inquiète pas ! dit-il à son père, j'ai mon idée !

Et il alla en ville. Il vendit une poule et avec l'argent, acheta une bombe insecticide. De retour, il enferma les trois vaches à l'écurie et les arrosa du produit, des pattes jusqu'aux oreilles. Le lendemain, plus de puces, mais vous auriez vu les vaches ! L'insecticide s'était introduit sous leur peau, les brûlait profondément au dos et aux flancs. Pour éviter que le poison ne gâte la viande, un seul remède : les abattre vite fait !

Fou de rage, le père dit à Boubeker en retroussant ses manches :

— Je les saigne, ensuite je te tue !

Et Boubeker sut ce qu'il lui restait à faire. Alors il s'enfuit vers la ville, espérant pouvoir s'y cacher plus facilement, et cela faisait déjà plus d'une semaine qu'il endurait la faim lorsqu'il croisa une patrouille qui défilait en ville et il fut rudement surpris de voir des Arabes parmi les Français : des Arabes propres et de toute évidence le ventre plein. Il suivit la patrouille pour questionner le dernier Arabe de la file :

— Comment on fait pour être comme toi ?

— On marche droit et on ferme sa gueule... simple ! dit le harki.

— Tu peux me pistonner pour rentrer avec toi ? dit Boubeker.

— Oh ! ce sera dur, mon petit, tu marches en biais et t'as les pieds plats.

— C'est grave ?

— Non, ça se travaille, mon petit !

— Je peux venir alors ? demanda Boubeker.

— Suis-nous, et ferme ta gueule !

Boubeker prit le pas de la patrouille jusqu'à la caserne et avant de franchir la porte, il fit valoir un atout aux yeux des harkis :

— Attention, m'sieur ! tu leur dis que moi je ne mange pas le porc et que je ne bois pas l'alcool, hein ? M'sieur !

— C'est ce qu'on verra ! c'est ce qu'on verra ! dit le harki.

Et c'est ainsi, en toute confiance, que Boubeker passa sous le drapeau français ! Il avait à peine dix-sept ans.

— Azzedine ! Que je suis heureux pour toi ! s'écria-t-il quand Azzedine lui eut annoncé l'heureux événement.

— Tu le dis à tous, tu les salues pour moi et surtout tu dis à Si Hamza de prier pour le petit. Il s'appelle Sélim, tu n'oublies pas.

— Comment veux-tu que j'oublie ? fit Boubeker, outré. Tu n'appelles jamais, et pour une fois que tu appelles, j'oublierais !

Puis ils se perdirent dans les salamalecs en

hurlant dans le téléphone, y a pas de raison chez nous c'est comme ça !

Meriem et Azzedine ne revinrent qu'une seule fois au ghetto de la banlieue d'Aix ; ce fut par un automne de la fin des années soixante-dix. Si Hamza venait de renvoyer sa montre au bon Dieu et ils avaient pris le train pour rendre un dernier hommage au doyen, au milieu de toute la communauté harki accourue de tous les départements voisins. Ce jour-là Si Hamza fit couler beaucoup de larmes et laissa autant d'orphelins qu'il y avait de présents. Sur sa fin il n'avait plus d'âge. Sous sa gandoura et son turban blanc, il s'était tassé, courbé, il n'y avait plus que sa canne pour le mener. Tous lui embrassaient la main quand ils le croisaient. Si Hamza mourut dans la mairie de Rouge-Terre, dans le couloir qui mène au service social. Il était venu quêter une bourse d'étudiant pour un gosse qui en avait dans la tête et méritait qu'on l'envoyât « dans les écoles ». L'ancêtre s'éteignit comme une bougie qui a usé sa mèche, la tête penchée sur le côté, assis sur un siège en skaï noir et les perles de son chapelet encore enroulées à ses doigts. Quand ce fut son tour, l'assistante sociale qui venait le chercher crut qu'il dormait. Aussi le laissa-t-elle reposer et invita la personne suivante à la suivre. C'est qu'elle connaissait le vieux. Elle savait comme il s'épuisait à courir aux quatre coins du département, de service social en bureau d'aide, pour améliorer la vie des siens. D'ailleurs dans la région, qui ne connaissait Si Hamza ? Tous le respectaient, du haut fonctionnaire aux éboueurs de la mairie, qu'il engueulait pourtant tous les matins, furieux de les voir jeter les poubelles vides du haut de leur camion-benne au lieu de les reposer bien délicatement devant les portes. Si Hamza était présent partout pour sa communauté. Il avait exigé du maire l'aménagement d'un local situé sur le chemin du retour du travail des deux usines, celle des pneus et celle de ciment, juste avant le premier bistrot. A l'heure de la prière du soir, il se tenait dehors à la porte de ce local, forçant les ouvriers harkis à entrer, qu'ils le veuillent ou pas. Et sortant du sermon, bien sûr qu'ils ne pouvaient pas bifurquer vers le bistrot, et Si Hamza ensuite de préparer, l'âme en paix, les ardoises des enfants pour les cours coraniques. S'activant ainsi à préserver dans le cœur des siens les mœurs et rites qui donnent la dignité, célébrant aussi les mariages.

C'est de très loin qu'on venait le consulter en tant que chari. Il bénissait les enfants fraîchement circoncis, dissipait les querelles entre familles, bottait le cul des ivrognes pour les ramener au bercail, autant dire vers La Mecque.

— Mes enfants ont une âme et il ne faut pas que le désespoir leur ôte la foi, disait-il au maire de Rouge-Terre.

Une de ses dernières missions fut de chasser de la cité les membres d'un mouvement extrémiste de droite, venus récupérer cette horde trompée dont ils espéraient pouvoir canaliser la colère à leur profit.

Que Si Hamza s'était usé pour les siens, ils le savaient tous derrière, et lui devant, sur le chemin du cimetière de Rouge-Terre. Il repose dans l'allée F, entre une Arlette et un Massimo. En biais, entre les deux tombes, à cause de La Mecque.

Mais il avait fallu discuter longtemps avec le fossoyeur, sous prétexte que Si Hamza occupait presque deux places à lui tout seul. Boufeldja dut sortir le bakchich.

Meriem et Azzedine ne reconnurent pas tous les habitants de la cité qui assistaient à la cérémonie. Les enfants d'Algérie étaient devenus des hommes et les vieux, le manque les avait creusés. Ils marchaient comme ceux qui ne rêvent plus avec dans leur maigre figure de grands yeux secs. Et peut-être s'en voulaient-ils de ne plus avoir de larmes pour en verser une sur le doyen. Ceux de la cité étaient reconnaissables à la boue sèche collée aux semelles de leurs chaussures. Autour de la tombe, ils regardaient les autres, tristes comme eux, ceux qui étaient venus d'autres régions, ayant eu la chance et le courage de quitter le ghetto. Ceux d'ici, les harkis, les pieds-noirs, les juifs avaient tous l'air de dire aux autres : « Excusez-nous, mais nous, on ne sait même plus pleurer. »

La plupart des hommes avaient choisi de porter la moustache, pour se donner un semblant de virilité et de vie. Ils étaient dans des costumes sombres, courts aux poignets et aux chevilles. Ils ne se regardaient pas, chacun reflétant sur les autres ce que les autres étaient, ils regardaient tous devant, vers le croque-mort. Ils ne courbaient pas l'échine, ceux du ghetto : ils fléchissaient. Ils étaient comme des piafs abandonnés par leur mère parce qu'un humain a frôlé le nid. Ils se savaient injustement maudits, largués.

Mais quand il n'y a plus de choix, plus de retour possible, tout se fait, se donne, avec lassitude, sans enthousiasme, sauf ce qu'il faut de tendresse aux enfants. Derrière, les femmes mouillaient leurs foulards en s'essuyant les yeux. Elles avaient préféré leurs hommes à leur famille, mais impossible de savoir ce qu'elles pensaient maintenant. Elles ne disaient rien. Il y avait les mômes à torcher, à élever, à aimer. Ça occupait. Meriem aussi avait des jours de silence, où, prostrée sur le tapis au milieu du salon, elle attendait le retour de ses enfants, de son mari, sans pouvoir rien faire d'autre que de se demander ce qu'étaient devenus les pères, les mères, les sœurs, les frères, là-bas ! C'est par ce mot qu'avait répondu Azzedine à son fils Sélim, quand celui-ci avait demandé un jour où allaient certaines voitures bizarres qui filaient sur la nationale. La route du Sud.

Ces voitures au toit couvert de bagages avaient attiré le regard de l'enfant parce qu'elles transportaient des familles entières d'Arabes que l'on distinguait à peine entre les valises. Il en venait du Nord, de la Hollande, de la Belgique et ils allaient donc « là-bas ». Les veinards ! se disait Meriem. Beaucoup faisaient une halte à Reims et achetaient des vivres pour le voyage. Ils parlaient fort et ils riaient. Elle restait parfois longtemps à les observer quand ils refixaient à l'aide de tendeurs les bagages sur les galeries. Ils hurlaient, ils s'engueulaient, l'air si heureux de retourner « là-bas ». Les femmes faisaient pisser les mômes dans le caniveau et se rendaient visite de véhicule en véhicule, car ils circulaient presque tous en convoi. Quand ils repartaient, le klaxon facile, Meriem ne bougeait plus, n'entendait plus rien autour d'elle, fixant la route, vers « là-bas » : l'Algérie.

Quand il était avec elle, Azzedine la tirait par le bras : lui, ne voulait pas voir. Rien !

Le croque-mort balança la première pelletée sur la bière et tous saluèrent une dernière fois Si Hamza. Ceux d'ailleurs reprirent la Peugeot et ceux de la cité, l'épaule basse, la route du ghetto. Boufeldja, le nouveau leader de la communauté, mit Meriem et Azzedine à leur train, mais il ne traîna pas sur le quai, sa voiture étant mal garée :

— Nos bagnoles, les flics les repèrent à cause de la boue sur les pneus, dit-il, alors pardon, faut que j'y aille...

Si Hamza avait insisté auprès de Boufeldja pour qu'après sa mort celui-ci guidât « la famille ». Il lui avait dit :

— Tu prendras ma main pour la leur tendre, mon pied pour leur botter le cul quand ils renoncent et mon cœur pour les aimer, mais attention !...

— A quoi, Si Hamza ?

— Tu arrêtes la Kronenbourg...

Boufeldja avait longuement réfléchi, puis accepté.

Azzedine épingla sa seconde étoile sur sa casquette de fonction le jour anniversaire de sa fille Saliha. Neuf ans. Cette promotion lui valut, outre une augmentation de salaire, de bénéficier d'horaires de pointe plus souples, et surtout, ce dont il fut le plus fier, de figurer parmi les chauffeurs triés sur le volet pour assurer l'exploitation d'une ligne récemment ouverte.

— Tu finiras chef de réseau ! le taquinaient ses collègues autour du pot servi en son honneur.

Discrètement, sa casquette dans le dos, il caressait du pouce sa nouvelle étoile. Dans la salle de réception de l'entreprise, au milieu des invités, le chef en tête, il y avait aussi Meriem, Sélim et Saliha. Formidablement émus, c'était aussi leur fête. Pour masquer sa timidité, Meriem rapportait au bar les verres vides qui traînaient sur les tables.

Lorsque Sélim décrocha le premier prix au concours général de français, l'émotion fut encore plus grande. Meriem y alla d'un you-you strident dans leur F4. Le concours général, elle ne savait pas du tout ce que c'était, mais elle n'oublierait plus jamais ce que lui avait dit son mari : « Notre fils, il est plus fort que les Français ! »

A la mairie, il y avait un recteur, le directeur du lycée, le maire, beaucoup de journalistes. Le lendemain Sélim était immortalisé par une photo dans le journal où l'on voyait Azzedine le tenant par l'épaule, comme on exhibe un trophée. Il souriait comme les veinards du Loto sur les prospectus, et semblait dire : « Vous voyez que nous autres aussi nous pouvons vous apporter quelque chose. » Pas de Meriem sur la photo : trop petite. Et Saliha était au buffet. Azzedine avait encadré le diplôme et la photo. Tu ne pouvais plus les louper. En poussant la porte du F4, tu prenais les deux cadres en pleine poire, accrochés au mur d'en face, et c'est seulement après qu'Azzedine te tendait la main. Sans parler des félicitations reçues de toute la communauté harki à travers la France, l'A.F.P. avait télécrypté cette phrase prononcée par le représentant du ministre :

— Dorénavant, nous devons compter avec cette nouvelle et ambitieuse génération qui apportera un élan de fraîcheur et de vitalité à nos vieilles habitudes.

C'est fou ce qu'en peu de temps, Azzedine prit de volume dans son car ! Avec tous ces voyageurs qui le reconnaissaient et demandaient des nouvelles de son surdoué de fils, il trouvait son siège trop bas.

Enfin heureux, Meriem et Azzedine, plus leurs deux enfants, après plus de vingt ans d'exil. Meriem parlait le français avec les voisines et prenait la beauté d'une femme qui va vers la cinquantaine. Au volant de son car, le mari jouait les pilotes d'avion et briguait une troisième étoile. Sélim alignait les diplômes et Saliha rêvait.

Ça baignait !

Seule tristesse : là-bas, en Algérie, la famille, malgré les accusés de réception, personne ne répondait jamais au courrier ni aux cadeaux. Alors ce fut Meriem qui y alla.

Elle arriva sans bagages, avec seulement son passeport, à l'aéroport de Tlemcen. Son frère Djillali l'attendait. Il était son aîné. Jeune, Meriem lui lavait les pieds et lui servait la soupe quand il rentrait des champs. Les hommes aux champs dès l'aube s'attablaient d'abord. Les femmes puisaient ensuite dans leurs restes. Le grand frère était devenu chauve et n'avait plus sur les os que la brûlure du soleil. A sa main droite, manquait un doigt.

Dans l'aéroport, pour le saluer, Meriem avait penché sa tête sur son épaule, tandis que lui l'embrassait furtivement sur le front. Rien de plus, sans se regarder, sans un mot. La pudeur de ces enfants du vent et de la sécheresse. C'est à coups de pompes dans le cul qu'on t'apprend, dans ce djebel, à éviter le regard des femmes et à respecter le silence des adultes. Yeux et bouches cousues, et pas grand-chose non plus pour les oreilles, tu ne pousses qu'avec ton nez, là-bas.

Pas étonnant qu'il y ait tant de senteurs et de parfums, faut bien qu'il reste un sens à la vie.

C'était le mguil, l'heure de la sieste. Djillali annonça :

— Nous allons d'abord chez Naziha, la plus jeune de nos sœurs.

— Non, suggéra Meriem, emmène-moi directement chez ma mère et mon père.

— Ils sont morts, dit-il gêné, puisque n'ayant jamais répondu au courrier de France.

— Eh bien allons au cimetière, je veux voir où ils reposent.

Sur la route de Medenine, Meriem fixait son regard plus loin que l'horizon comme si elle ne reconnaissait pas le décor de son enfance, ou comme si elle craignait qu'il ne réveille sa mémoire. Au cimetière d'Ezzerga, elle s'assit sur les jambes croisées entre la tombe de sa mère et celle de son père. Elle balbutia une prière en fixant tour à tour les deux monticules de terre. Djillali, tout près, ne déchiffrait pas les mots sur les lèvres de sa sœur. Il comprenait qu'elle parlait à leurs morts, mais elle n'avait pas l'air de se plaindre ! Elle ne pleurait pas. Après un moment de silence, elle se retourna vers lui :

— Laisse-moi ici, dit-elle.

— Oui, répondit-il, parce que cela l'arrangeait. Je reviendrai en fin d'après-midi.

— Non, je retrouverai le chemin toute seule.

Il partit sans en demander plus. Meriem ne chercha jamais le chemin de sa dachra, elle resta au cimetière. Au jour d'aujourd'hui, elle y est encore. Dans la koubba blanche qui domine le désordre des tombes et qui abritait jadis les nomades venus du désert saluer leurs disparus, elle a fait son lit ; elle prie.

Quand elle sort de la koubba, elle balaie les allées inégales du cimetière et colmate de terre rouge quelques bosses que le vent a dénudées. Elle cache ses rides sous un vieux châle aux couleurs passées. Les villageois se sont habitués à elle.

D'aucuns la prennent pour une folle et défendent à leur progéniture de l'approcher. D'autres la disent sainte et déposent chaque jour, à l'entrée du dôme, du lait caillé, des galettes de blé. Ils l'ont surnommée Hadja Hanina — la douce sainte. Une fois la semaine, un gamin lui apporte une bougie avec une petite boîte d'allumettes. C'est sa mère qui l'envoie et lui dit :

— Cette femme nous porte chance ! Depuis qu'elle est là ton père ne va plus dépenser au café le peu qu'il gagne. Va lui porter cette bougie, qu'elle éclaire ses nuits.

Personne de la famille n'a réussi à arracher Meriem à sa koubba. Ses sœurs sont toutes venues la supplier de renoncer à cette mort lente. En vain. Elle leur fait pitié, avec ses pieds fendus aux talons et ses cheveux emmêlés et gris. Désormais la Française, comme elle a été longtemps appelée, leur ressemble ! Au fond elles préfèrent ça. Cela les paye d'avoir imaginé pendant plus de vingt ans cette sœur dans des robes au tissu d'Egypte filetées de soie, portant des foulards de Libye étincelants et jonglant avec un porte-monnaie plein ! Car c'est de tout temps qu'elles l'ont jalousée et enviée. Elles aussi, comme elles auraient aimé changer de vie, les sœurs, même grâce à un harki !

La misère préfère les femmes. L'homme peut vivre nu.

Même sa fille Saliha n'a pu sortir Meriem de son cimetière. Elle lui rend visite deux fois l'an.

— Sache que je ne suis pas folle, lui a dit sa mère à sa première visite. Ton père sait, lui, que ma vie n'est que de prières. Il m'a souvent surprise les bras levés vers le ciel. Il comprend.

Meriem est dans sa koubba. Seule. Cloîtrée. Elle a l'eau que lui apporte l'oued au bas du cimetière et sa fille lui a aménagé sa cellule avec de petits meubles amenés de France, dont un lit pliant.

Après avoir obtenu son diplôme d'infirmière, Saliha traîna quelques mois ses espadrilles à l'hôpital de Reims. Le même qui, des années plus tôt, avait reçu Sélim en urgence. Mais en fait il ne respirait déjà plus. C'est un cadavre que la police, enfin, alertée par des inconnus parlant prudemment derrière leurs persiennes, avait déposé ici. Pas une fois Saliha ne traversa le rez-de-chaussée des urgences sans une pensée pour son frère. Quand elle croisait le docteur qui était de service, la nuit du drame, elle freinait l'élan de son chariot à pharmacie qu'elle poussait. Elle regardait s'éloigner cet homme qui avait signé le certificat de décès, mais elle s'était toujours interdit de lui demander s'il se souvenait de ce corps basané avec une déchirure dans le ventre.

Le temps qu'il faut pour acquérir l'expérience requise et Saliha décida d'ouvrir un cabinet. Son père avait l'argent. Chaque fin de mois, il avait eu à cœur de mettre de côté ce qui pourrait être un jour utile à sa fille, à son fils. Tout restait pour Saliha. Seulement les petites nénettes au bonnet blanc et seringue sous le bras officiant à leur compte, Reims en avait déjà plus qu'il ne lui en fallait. Elles étaient légion !

Chaque quartier avait la sienne, et parfois deux. Ce que voyant, mais aussi parce que depuis la mort de Sélim, elle supportait de plus en plus mal cette ville, ne rêvant que de s'en évader, Saliha résolut de quitter la ville.

Son père l'aida à déménager dans un duplex qu'elle avait dégotté par les petites annonces près de Paris, à Sarcelles, avec la clientèle qu'elle souhaitait, juste ce qu'il lui fallait d'amis bicots, nègres et juifs entassés sur ces sols superposés qu'on appelle étages. En outre, les quelques seringues qui sévissaient dans ce quartier des Flanades ne suffisaient pas à la tâche. Saliha s'y était sentie bien tout de suite. Son cabinet donnait presque sur la synagogue et sa chambre dominait, de face, l'épicerie de Mongi le Tunisien.

Quant à Azzedine, qu'est-ce qu'il fut fier le jour où sa fille se fut acquis, à force de patience, une clientèle à ne plus savoir où donner de la tête !

— C'est parce qu'elle est douce et délicate, ma fille, elle ne brusque pas ses patients, expliqua-t-il à Huguette.

— Monsieur Azzedine, on commence à savoir que ta fille est unique, ironisait Huguette, derrière son bar. Tu nous le répètes tous les jours !

Saliha a maintenant vingt-six ans.

Elle a épousé Abdelrahmane, un ambulancier d'origine marocaine rencontré lors d'une marche organisée contre l'incendie criminel, dans le quartier Stalingrad, d'un immeuble occupé par des enfants du Sahel.

Ils ont deux enfants, des jumeaux de quatre ans.

Azzedine est retraité.

Des deux côtés de sa tignasse drue, il y a quelques boucles qui fuguent vers le gris. Et aussi pas mal d'arthrose. Il habite toujours Reims. Il occupe ses journées à tenir le secrétariat d'une association de la communauté immigrée, dont le vœu immédiat est l'édification d'une mosquée en Champagne.

Mais, comme il a expliqué à Huguette à l'apéro du soir :

— Pour la mosquée, ce sera coton ! Avec le responsable culturel de la ville, on peut encore discuter ! Mais il a comme adjoint un petit freluquet aux dents longues, qui tique de l'œil quand il se fâche, ne nous écoute jamais et ne transmet pas ce qu'on lui dit. Dès qu'il voit un étranger, son poil se hérisse, alors imaginez sa tête quand il entend des mots « mosquée » ou « cours d'arabe ». Il se lève, il explose, il tape du pied en bégayant toujours la même chose : « Et quoi encore, hein ! Et hop ! Ils viennent chez nous, et hop, ils veulent tout comme là-bas ! Et hop ! et hop ! Le burnous qu'ils vont nous forcer à porter ! Bientôt si on les écoute ! hop ! quoi encore !... » Nous, on l'a surnommé Hop ! et Hop ! mais on se demande quand même comment il a fait pour être pris dans l'équipe municipale.

Azzedine siège aussi comme membre permanent au comité des fêtes des anciens du réseau des transports. Il ne s'ennuie pas dans sa retraite ! Un week-end sur deux, il prend le train pour Paris, et de là, zou à Sarcelles, voir ses petits-enfants. C'est toujours le samedi qu'il se pointe, vers dix-sept heures. Il passe d'abord par le cabinet, où sa fille lui annonce régulièrement qu'elle a encore pas mal de bras, de dos et de fesses à piquer. Il va donc s'asseoir parmi les patients dans la minuscule salle d'attente. Il pose à ses pieds les cadeaux qu'il apporte à ses petits-enfants, puis fièrement, il promène ses yeux partout, se disant :

— C'est beau, ça marche, et c'est à ma fille !

Sa fille, Saliha, qui va lui sauter au cou. Et le gronder :

— Encore des cadeaux ! Qu'est-ce que c'est que cette façon de lui gâter ses gosses !

Ils se serrent très fort. Les petits enfin ! Azzedine les rejoint par l'étroit escalier qui part du fond du cabinet et aboutit à l'appartement. Il les entend déjà qui se chamaillent dans le salon. Il les entend! Son regard s'éclaire. Il monte une marche, lentement une autre, et plus il monte plus l'émotion le prend à la gorge. Le front levé, pendu à ce qu'ils vont dire, il ne respire plus.

Au milieu de l'escalier, il n'en peut plus, il les appelle. Alors reconnaissant sa voix, les jumeaux hurlent de plaisir et se bousculent à qui arrivera le premier pour sauter dans les bras de Jeddi, le grand-père. Ils crient :

— Jeddi! Jeddi!

Lui est si heureux qu'il en écraserait presque une, de larme. Les deux petits sont nés en août de l'été où il avait fait si chaud sur la France et dans la tête alcoolisée de quelques Francaouïs de prolétaires d'H.L.M. On en avait vu qui tiraient de leurs fenêtres sur des beurs qui avaient le tort de pétarader sur leurs mobylettes pour tuer l'ennui.

Azzedine s'en souvient. Et parce qu'il s'en souvient, il est formidablement heureux de voir que ses deux petits gars à lui sont là, bien vivants.

Ces deux petites vies à la chevelure noire, épaisse et frisée, font à tous les coups pleurer Azzedine. Il se dit que leur rire est plus puissant que n'importe quel fusil braqué derrière une fenêtre, plus fort que n'importe quel couteau brandi dans la nuit.

Les deux petits sont vivants, ils sont éternels et, comme à chaque fois avant de les prendre dans ses bras, Azzedine redit, pour lui seul, leurs prénoms :

— Abdennebi... Malik.

A Yacoub d'Amiens.

DU MÊME AUTEUR

Aux Éditions du Mercure de France

LE THÉ AU HAREM D'ARCHI AHMED (Folio, nº 1958).

COLLECTION FOLIO

Dernières parutions

2825. Mircea Eliade	*Les dix-neuf roses.*
2826. Roger Grenier	*Le Pierrot noir.*
2827. David McNeil	*Tous les bars de Zanzibar.*
2828. René Frégni	*Le voleur d'innocence.*
2829. Louvet de Couvray	*Les Amours du chevalier de Faublas.*
2830. James Joyce	*Ulysse.*
2831. François-Régis Bastide	*L'homme au désir d'amour lointain.*
2832. Thomas Bernhard	*L'origine.*
2833. Daniel Boulanger	*Les noces du merle.*
2834. Michel del Castillo	*Rue des Archives.*
2835. Pierre Drieu la Rochelle	*Une femme à sa fenêtre.*
2836. Joseph Kessel	*Dames de Californie.*
2837. Patrick Mosconi	*La nuit apache.*
2838. Marguerite Yourcenar	*Conte bleu.*
2839. Pascal Quignard	*Le sexe et l'effroi.*
2840. Guy de Maupassant	*L'Inutile Beauté.*
2841. Kôbô Abé	*Rendez-vous secret.*
2842. Nicolas Bouvier	*Le poisson-scorpion.*
2843. Patrick Chamoiseau	*Chemin-d'école.*
2844. Patrick Chamoiseau	*Antan d'enfance.*
2845. Philippe Djian	*Assassins.*
2846. Lawrence Durrell	*Le Carrousel sicilien.*
2847. Jean-Marie Laclavetine	*Le rouge et le blanc.*
2848. D.H. Lawrence	*Kangourou.*
2849. Francine Prose	*Les petits miracles.*
2850. Jean-Jacques Sempé	*Insondables mystères.*

2851.	Béatrix Beck	*Des accommodements avec le ciel.*
2852.	Herman Melville	*Moby Dick.*
2853.	Jean-Claude Brisville	*Beaumarchais, l'insolent.*
2854.	James Baldwin	*Face à l'homme blanc.*
2855.	James Baldwin	*La prochaine fois, le feu.*
2856.	W.-R. Burnett	*Rien dans les manches.*
2857.	Michel Déon	*Un déjeuner de soleil.*
2858.	Michel Déon	*Le jeune homme vert.*
2859.	Philippe Le Guillou	*Le passage de l'Aulne.*
2860.	Claude Brami	*Mon amie d'enfance.*
2861.	Serge Brussolo	*La moisson d'hiver.*
2862.	René de Ceccatty	*L'accompagnement.*
2863.	Jerome Charyn	*Les filles de Maria.*
2864.	Paule Constant	*La fille du Gobernator.*
2865.	Didier Daeninckx	*Un château en Bohême.*
2866.	Christian Giudicelli	*Quartiers d'Italie.*
2867.	Isabelle Jarry	*L'archange perdu.*
2868.	Marie Nimier	*La caresse.*
2869.	Arto Paasilinna	*La forêt des renards pendus.*
2870.	Jorge Semprun	*L'écriture ou la vie.*
2871.	Tito Topin	*Piano barjo.*
2872.	Michel Del Castillo	*Tanguy.*
2873.	Huysmans	*En Route.*
2874.	James M. Cain	*Le bluffeur.*
2875.	Réjean Ducharme	*Va savoir.*
2876.	Mathieu Lindon	*Champion du monde.*
2877.	Robert Littell	*Le sphinx de Sibérie.*
2878.	Claude Roy	*Les rencontres des jours 1992-1993.*
2879.	Danièle Sallenave	*Les trois minutes du diable.*
2880.	Philippe Sollers	*La Guerre du Goût.*
2881.	Michel Tournier	*Le pied de la lettre.*
2882.	Michel Tournier	*Le miroir des idées.*
2883.	Andreï Makine	*Confession d'un porte-drapeau déchu.*
2884.	Andreï Makine	*La fille d'un héros de l'Union soviétique.*
2885.	Andreï Makine	*Au temps du fleuve Amour.*
2886.	John Updike	*La Parfaite Épouse.*
2887.	Daniel Defoe	*Robinson Crusoé.*

2888. Philippe Beaussant — *L'archéologue.*
2889. Pierre Bergounioux — *Miette.*
2890. Pierrette Fleutiaux — *Allons-nous être heureux ?*
2891. Remo Forlani — *La déglingue.*
2892. Joe Gores — *Inconnue au bataillon.*
2893. Félicien Marceau — *Les ingénus.*
2894. Ian McEwan — *Les chiens noirs.*
2895. Pierre Michon — *Vies minuscules.*
2896. Susan Minot — *La vie secrète de Lilian Eliot.*
2897. Orhan Pamuk — *Le livre noir.*
2898. William Styron — *Un matin de Virginie.*
2899. Claudine Vegh — *Je ne lui ai pas dit au revoir.*
2900. Robert Walser — *Le brigand.*
2901. Grimm — *Nouveaux contes.*
2902. Chrétien de Troyes — *Lancelot ou Le chevalier de la charrette.*
2903. Herman Melville — *Bartleby, le scribe.*
2904. Jerome Charyn — *Isaac le mystérieux.*
2905. Guy Debord — *Commentaires sur la société du spectacle.*
2906. Guy Debord — *Potlatch* (1954-1957).
2907. Karen Blixen — *Les chevaux fantômes* et autres contes.
2908. Emmanuel Carrère — *La classe de neige.*
2909. James Crumley — *Un pour marquer la cadence.*
2910. Anne Cuneo — *Le trajet d'une rivière.*
2911. John Dos Passos — *L'initiation d'un homme : 1917.*
2912. Alexandre Jardin — *L'île des Gauchers.*
2913. Jean Rolin — *Zones.*
2914. Jorge Semprun — *L'Algarabie.*
2915. Junichirô Tanizaki — *Le chat, son maître et ses deux maîtresses.*
2916. Bernard Tirtiaux — *Les sept couleurs du vent.*
2917. H.G. Wells — *L'île du docteur Moreau.*
2918. Alphonse Daudet — *Tartarin sur les Alpes.*
2919. Albert Camus — *Discours de Suède.*
2921. Chester Himes — *Regrets sans repentir.*
2922. Paula Jacques — *La descente au paradis.*
2923. Sibylle Lacan — *Un père.*
2924. Kenzaburô Ôé — *Une existence tranquille.*
2925. Jean-Noël Pancrazi — *Madame Arnoul.*

2926. Ernest Pépin — *L'Homme-au-Bâton.*
2927. Antoine de Saint-Exupéry — *Lettres à sa mère.*
2928. Mario Vargas Llosa — *Le poisson dans l'eau.*
2929. Arthur de Gobineau — *Les Pléiades.*
2930. Alex Abella — *Le Massacre des Saints.*
2932. Thomas Bernhard — *Oui.*
2933. Gérard Macé — *Le dernier des Égyptiens.*
2934. Andreï Makine — *Le testament français.*
2935. N. Scott Momaday — *Le Chemin de la Montagne de Pluie.*
2936. Maurice Rheims — *Les forêts d'argent.*
2937. Philip Roth — *Opération Shylock.*
2938. Philippe Sollers — *Le Cavalier du Louvre. Vivant Denon.*
2939. Giovanni Verga — *Les Malavoglia.*
2941. Christophe Bourdin — *Le fil.*
2942. Guy de Maupassant — *Yvette.*
2943. Simone de Beauvoir — *L'Amérique au jour le jour, 1947.*
2944. Victor Hugo — *Choses vues, 1830-1848.*
2945. Victor Hugo — *Choses vues, 1849-1885.*
2946. Carlos Fuentes — *L'oranger.*
2947. Roger Grenier — *Regardez la neige qui tombe.*
2948. Charles Juliet — *Lambeaux.*
2949. J.M.G. Le Clézio — *Voyage à Rodrigues.*
2950. Pierre Magnan — *La Folie Forcalquier.*
2951. Amoz Oz — *Toucher l'eau, toucher le vent.*
2952. Jean-Marie Rouart — *Morny, un voluptueux au pouvoir.*
2953. Pierre Salinger — *De mémoire.*
2954. Shi Nai-an — *Au bord de l'eau I.*
2955. Shi Nai-an — *Au bord de l'eau II.*
2956. Marivaux — *La Vie de Marianne.*
2957. Kent Anderson — *Sympathy for the Devil.*
2958. André Malraux — *Espoir — Sierra de Teruel.*
2959. Christian Bobin — *La folle allure.*
2960. Nicolas Bréhal — *Le parfait amour.*
2961. Serge Brussolo — *Hurlemort.*
2962. Hervé Guibert — *La piqûre d'amour* et autres textes.
2963. Ernest Hemingway — *Le chaud et le froid.*

2964.	James Joyce	*Finnegans Wake.*
2965.	Gilbert Sinoué	*Le Livre de saphir.*
2966.	Junichirô Tanizaki	*Quatre sœurs.*
2967.	Jeroen Brouwers	*Rouge décanté.*
2968.	Forrest Carter	*Pleure, Géronimo.*
2971.	Didier Daeninckx	*Métropolice.*
2972.	Franz-Olivier Giesbert	*Le vieil homme et la mort.*
2973.	Jean-Marie Laclavetine	*Demain la veille.*
2974.	J.M.G. Le Clézio	*La quarantaine.*
2975.	Régine Pernoud	*Jeanne d'Arc.*
2976.	Pascal Quignard	*Petits traités I.*
2977.	Pascal Quignard	*Petits traités II.*
2978.	Geneviève Brisac	*Les filles.*
2979.	Stendhal	*Promenades dans Rome.*
2980.	Virgile	*Bucoliques. Géorgiques.*
2981.	Milan Kundera	*La lenteur.*
2982.	Odon Vallet	*L'affaire Oscar Wilde.*
2983.	Marguerite Yourcenar	*Lettres à ses amis et quelques autres.*
2984.	Vassili Axionov	*Une saga moscovite I.*
2985.	Vassili Axionov	*Une saga moscovite II.*

Impression Bussière Camedan Imprimeries
à Saint-Amand (Cher),
le 25 août 1997.
Dépôt légal : août 1997.
1er dépôt légal dans la collection : octobre 1991.
Numéro d'imprimeur : 1/2191.
ISBN 2-07-038422-5./Imprimé en France.

Charlie 02919 783873.
= hi-information.

83644